KB152213

Clinical Low Vision

임상저시력

기초에서 증례까지

저자 **문남주, 김응수, 박신혜**

저자

· 문남주 (중앙대학교 의과대학 안과학교실, 중앙대학교병원)

· 김응수 (건양대학교 의과대학 안과학교실, 김안과병원)

· 박신혜 (가톨릭대학교 의과대학 안과학교실, 서울성모병원)

임상저시력

첫째판 1쇄 인쇄 | 2016년 11월 16일
첫째판 1쇄 발행 | 2016년 11월 25일

지 은 이   문남주·김응수·박신혜
발 행 인   장주연
출 판 기 획   김재한
편집디자인   서영국
표지디자인   김재욱
일 러 스 트   일러스트부
발 행 처   군자출판사
　　　　　등록 제 4-139호(1991. 6. 24)
　　　　　본사 (10881) **파주출판단지** 경기도 파주시 회동길 338(서패동 474-1)
　　　　　전화 (031) 943-1888   팩스 (031) 955-9545
　　　　　홈페이지 | www.koonja.co.kr

ISBN 979-11-5955-107-9

정가 50,000원

발간사

눈부신 태양아래 아름다운 대자연, 즐겁게 오가는 사람들, 감동 깊은 영화들. 그런데, 그것들을 보고 느낄 수 없는 이들이 있다. 바로 저시력인들이다. 현대의학의 힘으로 최선을 다해 치료를 했지만, 결국 저시력 상태가 되어 사회경제적 어려움뿐만 아니라 일상생활조차 불편을 겪는 환자와 보호자를 대할 때 더 이상의 치료가 의미 없다는 말과 함께 환자와 이별할 것이 아니라, 오히려 그들에게 희망과 재활의 용기를 주고, 실질적인 도움이 되는 것이 무엇인지 찾아내기 위해 저시력진료에 관심을 갖게 되었다. 저시력진료를 처음 시작하게 된 것은 우리나라 실명예방사업을 이끌어 오신 구본술박사님의 권유에서였다. 그때만 해도, 안과에서는 새로운 기술을 도입하여 눈을 고치기에 바빠 저시력은 관심 밖의 대상이었기 때문에 저시력의 정의, 분류, 재활법 등이 제대로 확립되지 못했고, 이에 대한 교육도 제대로 이루어지지 못하고 있었다. 그러나, 노령인구가 늘어나면서 나이관련황반변성, 녹내장 등이 증가하여 저시력인구 역시 빠르게 증가하고 있어 그 대책마련이 시급하다.

임상의로써 진료실에서 저시력인을 만났을 때 어떻게 진단하고 치료방법을 제시해야 할지 막막했던 시절이 있었다. 그러나, 여러 광학기기의 눈부신 발전과 사회복지정책의 개선 등으로 우리가 조금만 관심을 두고 정성을 기울인다면, 예상외로 많은 환자들에게 큰 도움을 줄 수 있게 되었다. 정말 반가운 일이 아닐 수 없다.

이 책에서는 안과 진료실에서 저시력인을 만났을 때부터 이루어지는 기본적인 진단 및 처방, 재활의 정보를 기초부터 임상예까지 상세하게 다루었다. 다양한 광학보조기구들 뿐만 아니라, 전자보조기구, 비광학기구, 시기능강화 훈련 등을 소개하였고, 익숙치 않은 기구들을 효과적으로 처방할 수 있도록 질환별, 연령별 처방법도 같이 준비하였다.

　저시력 진료의 목표는 시각재활 뿐 아니라, 저시력인들의 신체적 능력을 증진시켜주고, 사회적 활동을 보강해주며, 자립하여 생활할 수 있도록 돕는 것이니만큼 본 책에서는 진단과 재활 뿐만 아니라 실생활 및 교육에 도움이 되는 정보에 대해서도 실어 안과의사뿐 아니라 재활관계자, 특수교육관계자, 저시력인 자신은 물론 환자의 가족에게도 도움이 될 수 있도록 하였다.

　시작이 반이다라는 말이 있다. 비록 작은 정성이지만 저시력인의 시기능에 대해 관심을 갖고 재활할 수 있도록 돕는데 부족하나마 이 책이 작은 도움이 되었으면 하는 바람이다. 책이 나오기까지 함께 노력해 주신 김응수, 박신혜 선생님께 깊이 감사 드리며, 이 책을 출간할 수 있게 도와주신 군자출판사에도 감사의 뜻을 전한다.

대표저자 **문남주**

국민건강 증진에 안보건이 매우 중요한 부분을 차지한다. 다행히 최근에 국민의 생활수준 향상으로 완전 실명자수는 감소하였으나, 대조적으로 심각한 시력저하를 보이는 저시력인 수는 현저하게 증가 추세를 보이고 있다.

저시력(저시각)은 완전 실명은 아니나 학습, 직업, 일반생활의 모든 활동에 지장을 초래하여 적절한 재활대책이 필요한데, 우리나라 진료계의 실정으로는 저시력인에게 의료적이나 사회적으로 충분한 대책이 미흡하였다. 이 저시력에 대한 재활치료는 최근 많은 발전을 이루었으나, 국내여건상 저시력인에게 충분한 적용이 부족한 것이 현실이다.

이번에 국내 저시력진료 분야에서 개척자의 한 사람인 문남주교수를 비롯 다년간 저시력 진료에서 활발한 활동을 해 온 김응수, 박신혜 두 교수가 함께 저시력 진료의 기초 및 임상 지식을 모아 책으로 출간하게 됨을 시기적절하고 기쁜 일이라 생각한다. 이에 안과 뿐 아니라 시각재활 영역에도 매우 유용할 것으로 생각되어 적극 추천하는 바이다.

2016년 10월 14일
한국실명예방재단 명예회장
구본술

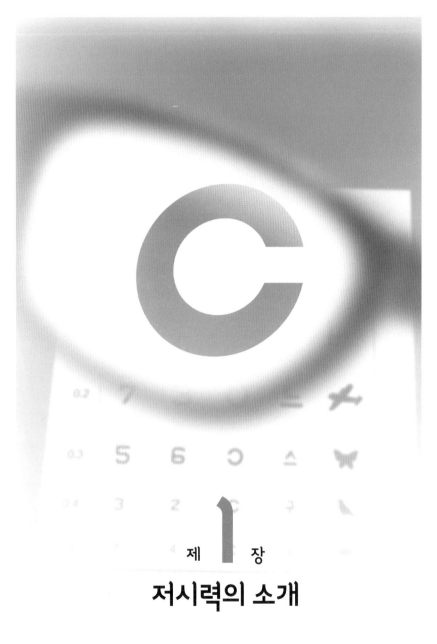

제 1 장

저시력의 소개

1. 정의

일반적으로 시각장애(visual impairment)는 실명(blindness)과 저시력(low vision)을 포함하는 개념으로, 1993년 발표된 세계보건기구(World Health Organization, WHO)의 정의에 따르면 저시력은 "충분한 치료나 굴절이상을 교정한 이후에도 시력에 장애가 있으면서, 좋은 눈의 시력이 6/18 이하에서 광각인지 사이이거나 혹은 시야가 주시점에서 10° 이하로 남아 있어 작업을 수행하거나 계획함에 있어서 잔존 시력을 이용하거나 잠재적으로 이용할 수 있는 상태"를 말한다.[1,2] Low vision을 우리말로 해석하면 "저시각"이라 하는 것이 적합하지만 우리나라에 처음 소개될 때부터 저시력이라 표기해 왔으므로 이 책에서는 저시력이라 쓰기로 한다. 이런 개념의 차이 때문에 일본에서는 번역 없이 low vision이라고 그대로 쓰고 있다. 약시와 저시력이라는 용어가 혼동되어 사용되고 있는데 약시는 넓은 의미에서 저시력에 포함될 수 있으나 모든 약시가 저시력은 아니다. 저시력은 다른 말로 제한시력(partially sighted vision)이라고도 한다.

시력저하의 정도에 따른 일상생활에서의 기능적 의미와 시각장애로서의 의미를 대략적으로 알아보면 표 1-1과 같다. 보통 시력이 0.5 이하로 저하되면 독서나 거리표지판을 알아보는 등의 일상생활에서 시력저하로 인한 어려움을 경험하게 되며 경도의 시각장애가 있다고 분류되기도 한다. 시력이 0.32 이하로 저하되면 신문을 혼자 읽어내기가 어려워지며 일상생활에서 많은 불편함을 겪게 되어, WHO를 포함하여 저시력을 정의하는 일반적인 기준으로 사용된다. 미국에서는 0.1 이하의 시력을 법적실명(legal blindness)으로 간주하여 시각장애에 대한 사회보장서비스를 제공하고 있으며, 시력이 0.05 이하로 저하되면 신문에서 가장 크고 굵은 글자의 제목도 볼 수 없는 상태로 WHO에서는 이를 실명으로 정의하고 있다.

표 1-1. 시력저하의 정도에 따른 일상생활에서의 기능적 의미와 시각장애로서의 의미

교정시력	기능적 의미	시각장애로서의 의미
0.05	40cm 거리에서도 신문의 가장 큰 제목도 보기 어려움.	WHO에서 정한 실명의 기준임.
0.1	40cm 거리에서 신문, 잡지 등의 서두에 나오는 큰 글자를 보기 어려움.	미국에서 0.1 이하의 시력이 법적실명으로 간주함.
0.32	신문을 읽는 데 어려움을 느낌.	WHO에서 정한 시각장애의 기준 시력임.
0.5	읽기와 거리표지판을 알아보는 등 일상생활에서 어려움을 느끼고 정상인과 비교하여 속도가 느려짐.	미국 대부분의 주에서 운전면허를 제한하는 시력 기준으로 사용됨. 우리나라에서도 제1종 운전면허를 제한하는 단안 기준시력임.

기존에 시력과 시야의 수치에 의존하여 정의해 온 저시력의 기준이 환자의 실제 기능적 측면을 잘 반영하지 못한다는 한계가 드러남에 따라, 최근에는 저시력을 정의하는 데 기능적인 측면이 점차 강조되고 있다.[3-6] 즉, 시각손상의 정도를 기능시력(functional visual acuity) 및 일상수행능력의 장애 정도로 판단하며, 이 때 기능시력손상이란 반맹을 포함한 시야손상이나 대비감도 저하 등도 포함된다. 1996년 라이트하우스(Lighthouse)에서는 기능시각장애(functional visual impairment)를 다음과 같이 정의하였다. 즉, 안질환, 외상, 인지기능장애 등으로 인해 굴절이상 교정, 수술, 약물 등으로 더 이상 개선되지 않는 시기능 제한이 있는 상태로, 표 1-2 중 한 가지 이상의 형태로 나타난다고 하였다.

기능시각장애 (functional visual impairment)의 정의

① 시력저하
- 충분한 교정 후에도 우세안에서 20/60 이하의 시력

② 시야장애
- 중심시야가 보다 보전되어 있는 눈에서 가장 넓은 시야 범위가 20도 이내
- 동측반맹이 동반되어 있을 때

③ 대비감도의 저하
- 양안 대비감도 < 1.7 log CS,

④ 일상생활 조도에서 시력이나 대비감도가 저하되어 불편함을 초래할 때

이처럼 저시력에 해당하는 환자군은 매우 폭넓어 시력이 어느 정도이든 교정 및 치료에도 불구하고 시기능저하로 인해 일상생활에 불편함을 느낀다면

저시력진료의 대상이 될 수 있다. 뿐만 아니라 교통사고 등 뇌의 이상으로 인해 시야장애를 보일 때도 재활의 대상에 포함된다. 중요한 것은 저시력 진료는 치료가 목적이 아니고 재활이 목적이라는 것이다. 저시력재활이 중요한 이유는 기존의 안과치료로는 더 이상 시기능 향상을 기대할 수 없는 중증의 시각장애인들에게, 잔존시력이나 시야를 최대한 이용하여 일상생활이나 작업이 가능하도록 도움을 줄 수 있기 때문이다. 우리나라의 저시력인들을 대상으로 한 연구에서도 시각장애인들이 광학적 혹은 비광학적 방법을 통한 저시력 재활치료를 통해 많은 도움을 받을 수 있음이 여러 차례 보고된 바가 있다.[7-9] 저시력인에게 시각장애 등록 절차를 소개하고, 저시력 재활에 관련된 정보 및 앞으로의 저시력 재활치료에 대한 소개를 해주는 것이 바람직하다.

저시력이란?

- 좋은 눈의 시력이 6/18 이하에서 광각인지 사이 또는 시야가 주시점에서 10˚이하로 남은 경우를 말한다.
- 최근에는 대비감도저하나 시야결손 등 기능적 측면이 강조된 포괄적 개념으로 확대되고 있다.

2. 역학

최근 저시력을 포함한 시각장애의 역학과 관련된 일련의 연구 결과들을 살펴보면 공통적으로 시각장애 발생률이 세계적으로 증가하고 있으며, 특히 60세 이상의 고령 인구에서 그 비율이 높아지고 있다.[10] 보건복지부의 통계(http://www.index.go.kr)에 의하면 등록 시각장애인 수는 1995년 2만여 명에서 2004년 17만명로 크게 증가하였고, 2014년도에는 약 25만으로 전체 등록장애인의 약 10.1% 정도를 차지하고 있으며 매년 점차 증가하고 있는 추세이다. 일반적으로 한 나라의 시각장애인을 전체 인구의 약 0.8% 정도로 추산하는 점을 고려하면, 등록되어 있지 않은 시각장애인의 수를 포함한 전체 시각장애인의 수는 이보다 많을 것으로 추정하고 있다.

최근 2010년부터 2012년까지 시행된 국민건강영양조사 결과를 분석하여 WHO 기준으로 국내 시각장애인수를 추정한 연구가 발표되었다.[11] 5세 이상 전체 저시력인은 약 21만명(0.46%), 실명은 약 2만2천명(0.05%)으로, 국내 전체 시각장애 인구는 약 23만명 정도로 추산하였다. 2014년 기준으로 실제 장애인복지법에 근거하여 등록된 시각장애인 약 25만명 중, 위 조사자료에 포함된 1-5급에 해당하는 시각장애수가 약 9만명임을 고려하면(표 1-2), 실제 시각장애를 앓고 있는 상당수가 법정 시각장애인으로 등록되어 있지 않음을 알 수 있다(그림 1-1). 또 한가지 주목해야 할 결과는, 나이가 증가함에 따라 시각장애 유병률이 점차 높아지고 있다는 사실이다(표 1-3). 특히 70세 이상의 연령에서는 저시력 유병률이 12.85%, 실명 유병률이 0.49%에 달하는 것으로 추정되어, 노인 인구가 급증하고 있는 우리나라에서 노년층에서의 시각장애가 조만간 주요한 사회적 문제로 대두될 수 있음을 시사한다.

표 1-2. **2014년말 기준 국내 시각장애인 등록 현황(통계청 자료)**

시각장애	남	여	전체
1급	16,438	15,714	32,152
2급	3,503	3,679	7,182
3급	6,108	5,957	12,062
4급	6,898	6,652	13,550
5급	11,733	9,437	21,170
6급	106,163	60,543	166,706
총	150,843	101,982	252,825

표 1-3. **2014년말 기준 국내 시각장애인 나이대별 등록 현황(통계청 자료)**

나이대별	19세 이하	20-29	30-39	40-49	50-59	60-69	70세 이상
등록시각장애인수	3,819	6,954	18,048	31,989	49,706	55,881	86,428

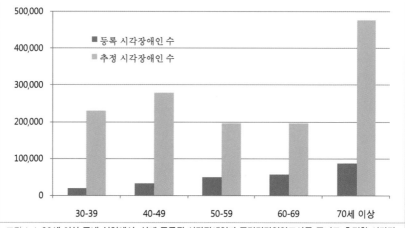

그림 1-1. 30세 이상 국내 성인에서, 실제 등록된 시각장애인과 국민건강영양조사를 근거로 추정한 시각장애인 수의 연령별 분포.

3. 시각장애 원인질환

시기능을 감소시키는 아래와 같은 모든 질환이 저시력 진료의 대상에 포함된다. 시야손상의 양상(중심시야손상, 주변시야손상)이나 매질혼탁의 양상에 따른 대비감도 변화 정도에 따라 나눌 수도 있으며 그에 따라 치료의 접근방법이 달라질 수 있다(그림 1-2). 원인질환 별 저시력 진료의 원칙에 대해서는 제9장 [질환별 처방]에서 보다 구체적으로 다루기로 한다.

① 불규칙한 굴절(각막이상, 원추각막, 불규칙난시 등)

② 매질혼탁(각막혼탁, 유리체혼탁 등)

③ 백내장

④ 녹내장

⑤ 당뇨망막병증

⑥ 시신경위축

⑦ 황반변성

⑧ 망막박리

⑨ 망막색소변성

⑩ 안구 및 안와의 외상

⑪ 선천안질환(각종 시신경 이상, 미숙아망막병증, 황반 및 주변부변성 등)

⑫ 시각경로, 시피질의 병변(종양, 외상, 뇌졸중, 발작 등)

그림 1-2. A) 정상 눈으로 본 풍경
B) 백내장이 있는 눈으로 본 풍경
C) 녹내장이 있는 눈으로 본 풍경
D) 당뇨망막병증이 있는 눈으로 본 풍경
E) 황반변성이 있는 눈으로 본 풍경

저시력 환자를 진료할 때 정확한 진단이 중요한 이유는 아래와 같다.

첫째, 환자에 대한 배경지식을 얻고, 저시력진료 계획을 세우는데 도움이 된다.

예를 들어 선천질환인가 후천질환인가는 매우 중요한 문제이다. 선천질환에 의한 소아 저시력 환자는 대개 경험적으로 자신의 시각적 기능 수준에 일과 행동을 맞추고 있다. 남은 시기능을 나름대로의 방법으로 효율적으로 사용하고 있지만, 학습과정에 어려움을 겪고 있을 가능성이 높다. 후천질환에 의한 노인 저시력 환자는 학습과정이 마무리된 후에 이환되었으므로 새로운 학습의 필요성은 적지만, 남은 시기능의 효율적인 사용법은 모르는 경우가 많다. 실제로 선천황반이영양증을 가진 소아저시력 환자는 이미 중심외보기를 스스로 터득하고 있는 경우가 많으며 이때는 올바른 기구의 처방과 기구사용 훈련을 통하여 학습이 가능하도록 도울 수 있다. 하지만 비슷한 정도의 황반변성을 가진 노인이라면 황반부 이외의 망막을 적절히 사용하는 방법을 알지

못하므로 중심외보기를 교육해야 한다. 또한 황반변성과 같은 시력손실을 최근에 진단받은 사람은 안경으로 문제를 해결할 수 있다는 희망을 여전히 갖고 있어서, 저시력 진료를 받기 전 충분한 상담이 필요하다.

둘째, 환자의 시기능 장애를 이해하는 데 도움이 된다.

시각의 이상부위에 따라서 나타나는 장애의 유형이 다를 수 있다. 나이관련황반변성이나 선천망막이영양증과 같은 황반변성이나, 시신경병증, 시신경염 등의 일부 시신경질환에서는 중심시력장애가 주로 나타나며, 녹내장이나 망막색소변성, 시각경로질환에서는 주변시야장애가 주로 나타난다.

셋째, 재활치료의 방법을 선택하는 데 도움이 된다.

중심시력의 장애가 있다면 근거리에는 확대경, 원거리에는 망원경을 이용하여 사물을 확대시키는 방법을 사용할 수 있으며, 적절히 조명을 높여 대비감도를 증가시켜야 하며, 눈부심을 막기 위해 여러 방법을 시도할 수 있다. 반면에 주변시야장애가 있다면 확대경을 사용할 때 비교적 낮은 배율을 사용하며, 경우에 따라서는 마이너스렌즈를 이용하여 사물을 축소시킬 수도 있다. 진단명에 따라 기구의 조명에도 주의를 기울여야 한다.

넷째, 향후 시력의 예후를 예측하고 이를 통해 상담하는 데에 도움이 된다.

각막혼탁이나 위축성 나이관련황반변성, 시신경형성부전 등에 의한 저시력의 경우 단기간 동안 시기능 변화가 적고 향후에도 시기능이 일정하게 유지되므로 내원 당시의 검사 소견을 기준으로 바로 기구처방을 할 수 있다. 하지만 당뇨망막병증과 같은 진행성 질환에 의한 저시력이라면 단기간에도 시력변화가 있을 수 있으므로, 시력변화 여부를 관찰한 후 기구처방을 해야 한다. 유전질환이 의심되면 가계도 추적 및 유전상담도 필요하다.

다섯째, 특히 소아환자에서 치료나 예방이 가능한 원인 질환을 조기 발견하여 심각한 시력 손상을 예방해서 환자의 삶의 질을 향상시킬 수 있다.

실제로 국내 15세 이하 소아 저시력 환아의 원인 질환을 분석했을 때 선천백내장, 선천녹내장, 미숙아망막병증 등 치료나 예방이 가능한 질환의 비중이 감소한 것을 알 수 있다.[5] 이를 통해, 역학적 지식을 바탕으로 한 홍보와 조기 진단이 저시력으로 진행할 수 있는 환자에 대한 예방적 조치를 가능하게 하므로 중요하다고 할 수 있다.

국내에서 연구된 자료를 기초로,[8] 저시력보조기구를 처방 받은 저시력인 641명을 대상으로 조사하였을 때, 시신경위축이 192명(28.2%)으로 가장 많았고, 황반변성은 141명(20.7%), 망막색소변성은 65명(9.5%), 당뇨망막병증 50명(7.3%), 선천백내장 37명(5.4%), 약시 31명(4.6%), 각막혼탁 28명(4.1%), 눈떨림 24명(3.5%), 백색증 22명(3.2%), 미숙아망막병증 21명(3.1%), 망막박리 19명(2.8%), 무홍채증 14명(2.1%), 기타 37명(5.4%)의 순이었다. 그러나 연구의 대상이 소아가 많았음을 고려하면 실제로는 황반변성이 첫번째 원인이라 여겨진다. 미국에 거주하는 백인을 기준으로 한 연구에서는 황반변성이 54.5%, 백내장이 8.7%, 녹내장이 6.4%, 당뇨망막병증 5.4% 순이었으며, 이처럼 연령, 사회경제적 차이에 따라서도 원인질환의 분포가 달라진다.

4. 일차진료의사가 저시력인을 만났을 때 해야 할 일

저시력 진료의 가장 큰 문제의 하나는 대부분의 환자들이 저시력클리닉에 대해 잘 모르고 있다는 것이다. 저시력은 쉽게 진단이 가능하고 실제 많은 저시력인이 진단, 치료를 위해 안과를 방문하고 있으므로 이들을 치료하는 안과의사가 저시력인들에게 앞으로의 재활에 대한 정보를 적극적으로 제공하는 것이 필요하다. 시력이 나쁜 환자에게 저시력재활에 대한 포괄적 정보를 제공하고 저시력클리닉에 의뢰하는 것이 환자진료체계의 당연한 한 부분이 되어야할 것이다. 위와 같은 프로그램의 일환으로, 미국안과학회에서 저시력인 및 그들을 돌보는 안과의사들을 위한 SmartSight™ 캠페인을 2012년에 시작하였다. 남아있는 시력을 앞으로 활용하기 위한 저시력재활을 소개하고 환자가 이용가능한 가까운 지역의 저시력재활클리닉 등에 대한 정보를 포함하는 저시력인을 위한 매뉴얼(SmartSight™-patient handout)을 제작하여 제공하고 있다(http://www.aao.org/smart-sight-low-vision). 저시력인을 돌보는 일차안과의사들도 아래와 같은 지침에 따라 저시력재활을 위한 단계별 역

할을 수행할 수 있도록 교육하고 있다.

SmartSight™ Program

1단계 : 다음과 같은 증상을 갖는 저시력인을 만나면, 환자에게 SmartSight™ 환자용 지침서를 제공하고 읽어보도록 설명한다.
- 시력이 20/40 이하
- 중심암점
- 시야장애
- 대비감도의 저하

2단계 : 저시력인을 만났을 때 다음과 같은 4단계(Record – Refract – Rx – Report)를 시행하고, 환자를 적극적으로 지도하고 격려한다.
- 기록 (Record) : 환자의 시력을 정확히 기록한다.
- 굴절검사 (Refraction) : 환자의 굴절력을 정확히 평가한다.
- 처방 (Rx) : 시력이 20/50 ~ 20/100 인 환자는 +5 D를 더한다. 가까워진 초점거리에 대해 교육하고 적절한 조명, 눈부심 방지를 위한 착색렌즈 사용 등에 대해 설명한다.
- 보고 (Report) : 일차의료제공자에게 환자 저시력 상태에 대한 정보를 제공한다.

3단계 : 포괄적 시력재활서비스 제공

---

5. 앞으로 나아갈 방향

1) 팀 접근의 중요성

저시력재활치료에 있어 가장 중요한 것은 아래와 같은 다양한 전문인력들이 상호 협조하여 팀 접근을 통해 환자를 복합적으로 치료하는 것이다. 이를 통해 재활치료 효과를 극대화시킬 수 있다. 심리치료 등도 함께 병행하여 저시력인들의 삶의 질을 높이기 위한 프로그램을 개발하는 것이 필요하다.

  ① 의사

  ② 환자와 가족

  ③ 직업치료사

  ④ 저시력에 관련된 지식을 가진 안경사

  ⑤ 보행치료사

  ⑥ 물리치료사

⑦ 사회사업가

⑧ 시각재활 특수교사

2) 최근 증가하고 있는 질환들에 대한 접근

최근 증가하고 있는 시각재활이 필요한 질환으로는 나이 관련 황반변성, 외상성뇌손상, 뇌졸중, 망막병증 등을 들 수 있다. 또한 확대보조기구 처방에 그칠 것이 아니라 중심외주시훈련 및 프리즘을 통해 선호망막부위(preferred retinal locus, PRL)를 활용하는 등의 적극적인 방법을 도입하고 있다.

3) 환자의뢰체계

시력이 나쁜 대부분의 환자들이 저시력클리닉의 존재 자체를 잘 모르고 있다. 시력이 나쁜 환자를 만났을 때 이들을 저시력클리닉으로 의뢰하는 체계적인 의뢰시스템이 구축되어야 할 것이다.

4) 기구대여제도

기구대여제도는 아직까지 활발히 운영되고 있지 못하다. 저시력클리닉에서 환자가 만족하는 기구를 다음 진료시까지 대여한다면 짧은 시간 내에 사용기구를 결정해야 한다는 압박감을 덜고, 진료효율을 높이고 성공률을 높일 것이다. 몇몇 기관에서 확대독서기 등의 고가 기구를 대여하고 있으나 수요에 비하여 공급이 부족한 실정이다. 향후 재원 확보 등을 통해 기구대여제도가 활성화된다면 환자들에게 큰 도움이 될 것이다.

참고문헌

01. Jose RE, Understanding low vision. American foundation for the blind. 1994.

02. Brilliant RL, Essentials of low vision practice , Butterworths-Heinermann Co. 1999.

03. Rosenthal BP, Cole RG, Functional assessment of low vision, Mosby Year Book Co. 1996.

04. Kivelä T. Blind, by definition — or should we prefer functional vision? *Acta Ophthalmol* 2010;88:161-2.

05. Jacobs JM, Hammerman-Rozenberg R, Maaravi Y, et al. The impact of visual impairment on health, function and mortality. *Aging Clin Exp Res* 2005;17:281-86.

06. Swanson MW, McGwin G. Visual impairment and functional status from the 1995 National Health Interview Survey on Disability. *Ophthalmic Epidemiol* 2004;11:227-39.

07. 박종화, 이진용, 김윤, 문남주. 서울지역에 등록된 시각장애인의 역학적 분석과 저시력 재활치료. 대한안과학회지 2009;50:572-9.

08. 박종화, 문남주. 저시력 환자 500명의 임상분석. 대한안과학회지 2005;46:345-52.

09. 김원수, 문남주. 소아저시력 환자의 최근 임상양상의 변화. 대한안과학회지 2015;56:1256-62.

10. Pascolini D, Mariotti SP. Global estimates of visual impairment: 2010. *Br J Ophthalmol* 2012;96:614-8.

11. Park SH, Lee JS, Heo H, et al. A nationwide population-based study of low vision and blindness in South Korea. *Invest Ophthalmol Vis Sci* 2014;56:484-93.

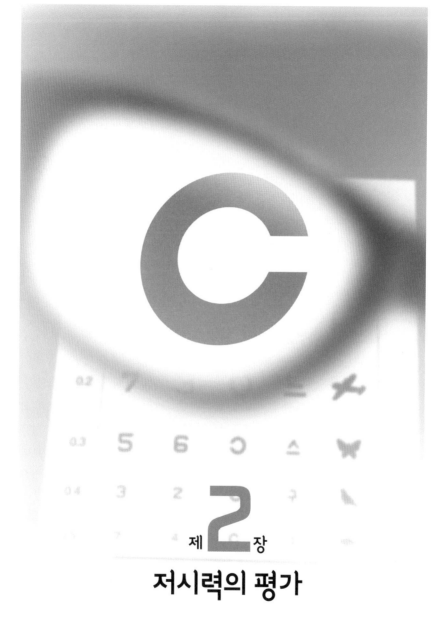

제 **2** 장

저시력의 평가

1. 문진

저시력 진료의 환자 평가 과정에서 문진은 매우 중요하다. 시각장애의 발생시기와 양상, 질병의 이환기간, 중복장애 여부를 물어서 기록하고, 안과 질환뿐만 아니라 다른 전신질환의 유무, 교육정도, 생활정도, 일상생활, 취미생활 등에 관한 배경지식을 얻어야 한다. 시각장애를 일반적으로 시력이나 시야에 대한 수치로 정의하지만, 저시력 진료에서 시력장애란 절대적인 숫자가 중요한 것은 아니며, 가장 강조되어야 하는 것은 "시기능"이다.

1) 저시력으로 인한 기능장애 평가

환자의 직업, 환자가 불편해하는 기능과 향상되기를 원하는 기능이 무엇인지 등을 파악해야 목표시력을 잡을 수 있다.[1,2] 환자의 나이, 직업, 생활환경, 시각적 요구도 및 우선순위에 따라 각 환자마다 시각재활의 목표를 다르게 잡아야 한다. 이 때 환자가 원하는 것을 단순히 "잘 보고 싶다." 보다는, "약병을 잘 보고 싶다.", "이메일을 확인하고 싶다.", "TV를 보고 싶다." 와 같이 보다 구체적으로 파악하는 것이 도움이 된다. 일상생활에서의 시각 활동을 거리에 따라 크게 분류를 하면 다음과 같다.

> • 원거리 시각활동 : 길거리 도로교통판 확인, TV 시청, 신호등 확인, 타인의 얼굴 알아보기
> • 중간거리 시각활동 : 컴퓨터 보기, 식사하기
> • 근거리 시각활동 : 신문이나 책 읽기, 주소나 가격 확인, 약 봉투 확인

이를 위해서, 저시력 환자 초진시에는 "시력이 나빠서 현재 가장 불편한 점이 무엇입니까?"와 같은 개방적 질문을 던지는 것이 바람직하다. 한 연구에 의하면, 저시력 환자 초진시 위와 같은 개방적 질문을 시행하였을 때, 독서시

어려움을 호소하는 환자들이 66.4%로 가장 많았고, 그 외에 운전(27.8%), 저시력보조기구 사용(17.5%), 거동(16.3%), 실내활동(15.1%), 눈부심(11.7%), 안면 인지 및 사회 활동(10.3%) 등에서 어려움을 호소하였다.[3] 환자의 태도와 자세 이상을 잘 관찰하는 것도 많은 정보를 준다. 성인 환자에서는 특히 직업과 관련해서, 어떤 거리에서 어떤 시각활동이 가장 요구되며 어려움을 느끼고 있는가에 대해서도 자세히 물어본다.

저시력 환자가 일상생활(activities of daily living, ADL)을 어느 정도 수행해내는가를 평가하기 위한 방법들이 소개되어왔다. 호주 멜버른 대학에서 개발한 Melbourne Low-Vision ADL Index (MLVAI)를 소개하면,[4] 환자가 신문 활자를 읽어내는지, 은행통장의 계좌번호를 읽어내는지, 손목시계를 보고 시간을 알아내는지 등을 평가자가 객관적으로 관찰하여 평가하고 식사, 목욕, 옷입기, 이동보행 등의 항목에 대해서 환자 스스로 설문지에 답하여, 실제 일상생활에서 저시력으로 인한 기능장애를 평가하여 이를 바탕으로 추후 저시력재활을 위한 계획을 세우게 된다.

2) 시각장애인 등록 여부

대부분의 저시력 환자는 경제적 어려움이 있다. 시각장애인으로 등록이 되어 있다면 저시력 보조기구나 안경, 콘택트렌즈를 구입할 때 뿐만 아니라 정부, 지방 자치단체, 민간회사 등에서 제공하는 여러 가지 혜택을 받을 수 있으므로 그 소지 여부를 물어서 혜택을 받도록 장애 등록 절차에 대한 안내를 한다.

저시력 환자 문진의 핵심

"시력이 나빠서 가장 불편한 것이 무엇입니까?"
"앞으로 가장 좋아졌으면 하는 기능이 무엇입니까?"

2. 검사

1) 굴절검사

　정확한 굴절검사는 저시력 검사에서 가장 중요하다고 할 수 있으며, 이에 기초한 정확한 안경착용이 반드시 필요하다. 적절한 교정을 하지 않아 망막에 초점을 맺지 못한 상태에서는 흐린 상을 아무리 확대해도 크게 도움이 되지 않는다는 것을 반드시 알아야 한다. 환자 중에는 적절하지 않은 교정을 받은 경우가 많다. 매질혼탁, 중심외주시, 눈떨림, 매우 낮은 시력, 협조부족 등으로 인해 시력검사가 어렵지만 불가능한 건 아니다. 검영기와 자동각막곡률계를 이용하여 측정할 수 있다.

2) 시력검사

　저시력 환자에서 시력을 정확히 평가하는 것은, 굴절이상을 교정하여 최대교정시력을 파악하고 저시력보조기구 처방을 위한 확대배율을 결정하고, 기저질환의 진행여부나 치료효과를 판단하는 데 중요하다.

(1) 원거리시력 측정

　원거리시력 측정은 단안, 양안 모두 실시해야 한다. 교정시력과 나안시력을 재고, 이 때의 조명 정도를 기록하는 것이 좋다. 시력 측정을 위한 측정거리는 개인별로 조절할 수 있으나 시력 측정의 객관성을 위해 일관된 측정 방법이 필요하다. 시력이 0.05 이하가 아니면 5m 거리에서 측정하나, 2m 또는 1m에서도 측정하여 환산할 수 있다. 시력 측정은 생리학적 검사일 뿐만 아니라 중요한 심리학적 검사이므로 안전수지 대신에 커다란 숫자나 글자를 가까이서 읽게 해, 읽을 수 있다는 확신을 주어야 한다. 환자를 충분히 격려하면서 잰다. 원거리 저시력 시력표에는 여러 가지 종류가 있다(그림 2-1). 원거리시력은 원거리뿐만 아니라 근거리에서도 광학적 배율 결정의 출발점이 된다. 환자의 원거리 시력이 0.1 인데 0.4를 보기 원한다면 0.4/0.1 = 4로 계산하여 4배의 확대가 필요하다.

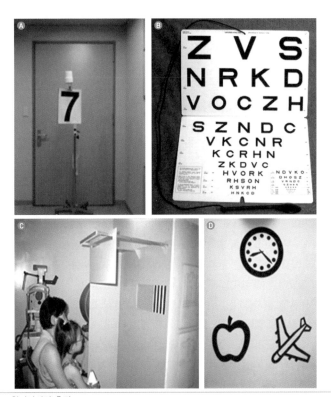

그림 2-1. **원거리시력 측정**
A) Feinbloom 원거리시력표. 부분조명을 주고 이동이 가능하도록 하여 검사하기도 한다.
B) 1m 시력검사표. 검사거리를 정확히 유지하는데 도움을 주는 줄이 시력판에 부착되어 있으며,
　　저시력 환자의 시력을 0.02부터 비교적 정확하게 평가할 수 있다.
C) 텔러씨 시력검사. Teller acuity cards를 이용하여 소아에서 시력을 평가한다.
D) 소아 원거리시력 측정

(2) 근거리시력 측정

원거리시력 측정이나 근거리시력 측정에서 검사자가 시력을 측정할 때 가장 먼저 할 일은 정확한 굴절이상의 교정이다. 근거리시력을 측정할 때에도 조명이 중요하다. 근거리시력표로부터 눈까지의 거리를 기록해 두도록 한다. 시력측정에도 참고가 되고 환자에게 작업거리를 교육하는 데도 필요하다. 또 중심외로 보는 것이 필요한지도 살펴야 한다. 시력을 잴 때 환자에게 충분한 시간과 용기를 주는 것이 필요하다. 환자가 각 줄을 읽고 못 읽는 것은 시력과 꼭 비례하는 것은 아니므로 실제적인 것, 가령, 문자확인, 영수증, 신문, 교과서, 성경책과 같이 환자의 시력 기대치와 실질적으로 관련이 있는 것들을 사용하는 것이 좋다.

① 근거리시력표

저시력 보조기구의 도움을 원하는 사람들은 근거리 작업, 특히 읽기에 관심이 많다. 읽기는 가장 기본적인 일이므로 다양한 크기로 연속적인 문장이 있는 읽기검사 카드를 써서 시작한다. 근거리 시력측정은 글자, 숫자, 단어, 문구를 이용한 시력표를 사용할 수 있다. 40cm 거리에서 잴 수 있도록 고안된 근거리시력표를 사용한다(그림 2–2). 저시력환자를 위한 근거리시력표를 사용하면, 시력측정과 더불어 저시력 보조기구의 확대배율을 결정할 수 있다. 근거리시력표의 우측에 있는 디옵터 일람표와 좌측에 있는 활자크기에 따른 "M" 표기를 이용하여 시력을 확대율로 쉽게 환산할 수 있다. M표기는 meter system으로도 불리우며 1M의 글자크기는 1미터에서 볼때 5도 크기의 글자를 말한다. 예를 들어 5M은 1미터에서 25도 크기의 글자를 의미하고 폰트의 개념과 유사하며 대략 글꼴의 형태에 따라 다르나 10–12폰트 정도의 크기이다. 근거리시력표에서 M표기를 사용하는 이유는 일정 거리에서 2M을 읽는 환자가 더 작은 1M 사이즈의 글씨를 읽기 원하면 2배의 확대가 필요하기 때문에 쉽게 필요한 배율을 구할 수 있다는 장점이 있다. 40cm 거리에서 1M의 활자크기를 갖는 시표를 읽어낸다면 시력은 0.4/1M = 0.40이며, 이는 신문의 활자를 읽어낼 수 있는 정도의 시력을 의미한다. 일반적으로, 저시력 환자에서의 목표 근거리시력은 40cm에서 활자 1M 크기의 시표를 읽어내는 것으로 정한다. 즉, 목표시력을 "40cm 1M"으로 할 때, 40cm 거리에서 2M 시표를 읽으면 2배, 4M 시표를 읽으면 4배의 확대가 필요함을 쉽게 추정할 수 있다. 실제 환자에서 응용하는 방법은 아래와 같다.

그림 2–2. 근거리시력 측정 LEA NUMBERS® Chart

시력측정과 더불어 저시력 보조기구의 확대배율을 결정할 수 있다. 근거리 시력표를 이용하여 40cm 거리에서 측정하면 시력표의 우측에 있는 디옵터 일람표를 보고 시력을 확대율로 쉽게 환산할 수 있다.

〈예제〉 40cm의 거리에서 근거리시력표 5M의 문자를 읽는다면

- 목표시력으로 1M을 읽고자 할 때,
- 시력은 0.4/5M으로 계산할 수 있고, 즉 0.08이다.
- 필요한 확대율은 쉽게, 1M → 5M, 즉 5배이며,
- 시력표를 40cm 보다 1/5의 거리, 즉 8cm 거리에서 두었을 때 시표를 읽을 수 있으며,
- 이 거리에서 정확한 상을 얻으려면 +12.5 D의 추가도수가 필요하다.

〈예제〉 25cm의 거리에서 근거리시력표 4M의 문자를 읽는다면

- 목표시력으로 1M을 읽고자 할 때,
- 필요한 확대율은 쉽게, 1M → 4M, 즉 4배이며,
- 시력표를 25m 보다 1/4의 거리, 즉 대략 6cm 거리에서 두었을 때 시표를 읽을 수 있으며,
- 이 거리에서 정확한 상을 얻으려면 +16 D의 확대경이 필요하다.

이런 식으로 아래와 같은 표를 구할 수 있으며(표 2–1), 이는 각각 다른 측정거리(40cm, 33cm, 25cm)에 대한 예를 보여주고 있다. 예를 들어 33cm에서 4M을 읽은 경우는 12 D의 확대경이 필요함을 알 수 있다.

표 2–1. 검사거리에 따라 근거리목표시력 1M을 보기 위해 필요한 디옵터

측정거리		40cm	33cm	25cm
Magnification:		D/2.5	D/3	D/4
환자의 시력	1M	2.5 D	3 D	4 D
	2M	5.0 D	6 D	8 D
	3M	7.5 D	9 D	12 D
	4M	10 D	12 D	16 D
	5M	12.5 D	15 D	20 D
	6M	15 D	18 D	24 D

② 대비강화경(Typoscope) 적용

근거리시력을 잴 때 대비강화경(그림 2-3)을 이용해 볼 수 있는데 이는 글씨가 써 있는 줄이나 문장, 또는 각 단어를 쉽게 볼 수 있도록 검은색 카드에 구멍을 낸 것이다. 대비강화경을 이용하여 시력이 현저하게 개선된다면, 확대배율을 검토하기 전에 대비증강기구나 중심외보기능훈련을 고려해 보는 것이 좋다.

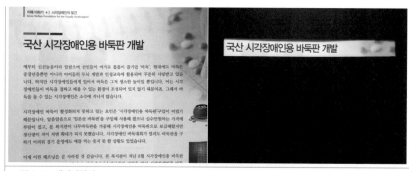

그림 2-3. **대비강화경**

3) 대비감도검사

높은 흑백 대비를 갖는 시력표를 이용하여 측정한 시력만으로, 저시력 환자의 시기능을 충분히 평가할 수는 없다. 실제 우리가 생활하는 환경이 흑백의 높은 대비만으로 이루어져 있지 않으므로, 저시력 환자의 일상생활에서의 기능적인 측면을 파악하기 위해서는 대비감도를 함께 평가해야 한다. 대비감도를 평가하는 데에는, 아래와 같은 여러 방법들이 이용된다(그림 2-4). 그림 2-4 A, B와 같이 좌측에서 우측으로 갈수록 흑백의 경계가 모호해지면서 구별하기가 힘들어지고, 위(낮은 공간주파수)에서 아래(높은 공간주파수)로 가면서 점점 가늘어지는 굵기로 배열된 막대를 판별하도록 하여 대비감도를 평가하는 방법이 있다(sinus grating chart). 그림 2-4 C, D 와 같이 저시력 환자들도 구분할 수 있는 제법 큰 사이즈의 동일한 글자 크기로 대비감도만 다른 글자를 배열하여(optotypes chart), 대비감도를 평가하는 방법도 유용하게 사용되며, 소아용 검사표 (그림 2-4 E)도 있다.

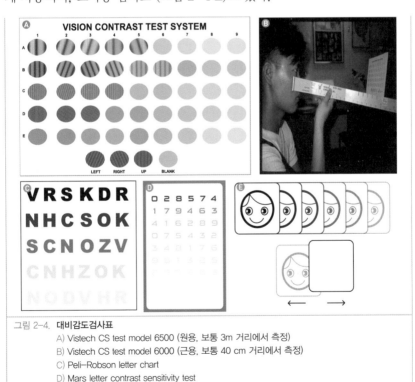

그림 2-4. **대비감도검사표**
A) Vistech CS test model 6500 (원용, 보통 3m 거리에서 측정)
B) Vistech CS test model 6000 (근용, 보통 40 cm 거리에서 측정)
C) Peli-Robson letter chart
D) Mars letter contrast sensitivity test
E) Hiding Heidi low contrast face test (소아용 대비감도검사)

저시력 환자는 대비감도가 대부분 낮으며 특히 당뇨망막병증이나 녹내장에서는 심한 대비감도 저하를 보인다. 대비감도검사는 환자들의 시력과 더불어 환자의 시기능과 치료 방법 결정에 대해 다양한 정보를 제공한다.

첫째, 환자의 전체적인 시기능의 이해에 도움을 준다. 시력이 좋아도 대비감도가 낮다면 낮은 조도하에서는 사람의 얼굴이나 작은 물체를 식별하기가 어렵다. 대비감도가 낮은 환자의 경우 상대적인 대비가 낮은 책이나 신문을 읽는 데 어려움을 느낄 수 있다. 특히, 낮은 공간주파수 영역에서 대비감도가 낮은 환자들은 건물이나 얼굴 등 큰 물체를 알아보는 것과 이동 및 보행에 어려움을 겪는다. 높은 공간주파수 영역에서 대비감도가 주로 저하되어 있다면, 책을 볼 때 조도를 높이고 대비강화경을 사용하도록 한다(그림 2-5).

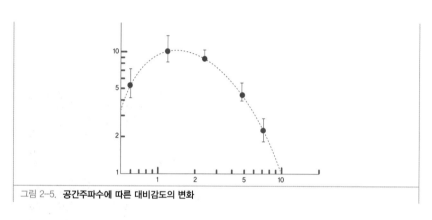

그림 2-5. **공간주파수에 따른 대비감도의 변화**

둘째, 기구의 배율과 종류 선택에 도움을 준다. 대비감도가 낮은 환자는 시력검사에서 예측된 것보다 더 높은 확대배율의 기구를 필요로 한다. 또한, 대비감도의 감소가 아주 심하다면 광학기구를 사용하기 어려워서 확대독서기를 사용해야 한다. 예를 들어 대비감도가 35% 이상 저하되어 있어 읽기속도가 느리다면 일상 생활에서 가구나 문, 계단의 대비를 높이고, 조도를 증가시키거나 전구의 유형을 바꿔보도록 조언한다. 독서할 때는 대비강화경이나 확대독서기를 사용할 수 있다. 확대독서기는 확대배율뿐만 아니라 명도 및 채도대비를 높일 수 있고 넓은 시야를 제공하므로 대비감도가 낮은 저시력 환자에게 더욱 유용하다.

셋째, 우세안을 결정하고 양안시를 검사하는 데 활용된다. 시력이 낮더라도 대비감도가 우수하다면 대비감도가 높은 눈에 기구를 맞춘다. 양안 대비감도가 단안 대비감도보다 매우 좋다면 양안에 사용하는 기구를 선택할 수도 있다.

넷째, 조명과 대비 증가 결정에 도움을 준다. 대비감도가 낮은 환자가 책을 읽고자 하면 조명증강이 필요하다.

대비감도에 대한 평가는 환자의 저시력 진료 후 실제 생활에서의 활용이 기대되는 결과와 맞지 않을 때도 정기적으로 시행하는 것이 좋다. 예를 들어, 환자가 흐린 날 덜 보인다고 호소하거나, 시력 변화가 없는데 기존에 사용하고 있는 확대경으로 독서하는 데 어려움을 호소한다면 다른 몇몇 요인들(초점거리가 잘 맞는지, 조도가 잘 유지되는지, 렌즈가 오염되지는 않았는지)과 함께 대비감도의 감소를 의심해 보아야 한다. 각막혼탁과 같이 매질혼탁이 있는 환자, 시신경 및 망막 질환이 있는 환자들에서는 대비감도가 저하되어 있음을 알고 저시력 치료 계획을 세우는 것이 좋다.

대비감도가 저하되어 있음을 알고 저시력 치료 계획을 세우는 것이 좋다.

각막혼탁, 망막질환, 시신경 위축 등으로 인해 대비감도가 낮은 환자에서는,

- 시력 정도에 비해 더 높은 배율의 확대경을 요한다.
- 확대와 함께 대비감도를 함께 조절할 수 있는 전자확대기가 유용하다.
- 책을 읽는 등 근거리 작업을 할 때 조도를 높이는 것이 유리하다.

4) 양안시기능검사

대다수의 시각장애인들은 양안시 기능이 저하되어 있다. 환자가 단안시라 할지라도 한 쪽이 0.3이고 또 한 쪽이 0.03이라면 최대 시력을 얻기 위해 현미경을 사용할 때 나쁜 쪽 눈을 가리는 것이 좋다. 때때로 망막경합이 존재하기 때문에, 나쁜 쪽 눈을 가리지 않는다면 환자는 흐려 보인다고 하거나 위치 확인을 못 하겠다고 하거나, 이미지점프를 호소하기도 한다.

5) 색각검사

저시력 환자들은 안질환과 동반된 후천색각이상을 동반하는 경우들이 많다.

저시력 환자의 색각을 평가하기 위해 Farnsworth Dichotomous Tests for Color Blindness test (Panel D-15 test)와 같이 색상을 배열하는 검사가 주로 이용되는데, 소아나 저시력 환자용으로 색판의 직경을 3.3cm 정도로 크게 제작된 상품도 있다. 흔히 일반인에서 적녹 색각이상을 감별하기 위해 많이 쓰이는 가성동색판(pseudoisochromatic plate) 이시하라 색각검사표를 이용하는 방법만으로는 저시력 환자의 색각이상을 적절히 평가하기 어렵다. HRR (Hardy Rand and Rittler) 색각검사표가 이시하라 색각검사표에 비해서는 후천색각이상을 평가하는 데 도움이 된다(그림 2-6).[5] 동반된 색각이상으로 인해 저시력 환자가 일상생활에서 어떤 불편함을 느끼는지를 이해하고, 예를 들어 본인이 복용하는 약들을 잘 식별해내고 교통신호를 잘 알아보고 색을 잘 구분 못하여 겪는 직장생활에서의 어려움을 줄여줄 수 있도록 도와준다.

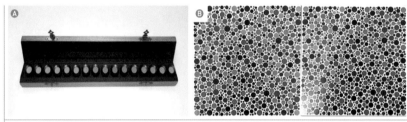

그림 2-6. **색각검사**
A) Farnsworth Dichotomous Tests for Color Blindness test (Panel D-15 test)
B) HRR (Hardy Rand and Rittler) 색각검사표

6) 시야검사

시야검사를 통해서 중심시력장애가 있는 경우 암점의 위치와 범위를 파악하여 중심외주시의 방향을 결정할 수 있으며, 시야 장애의 위치에 따라 처방방침이 다르다. 주시가 어려운 경우에는 자동시야검사보다는 골드만시야검사의 결과가 더 정확하다. 시야가 10도 이상이라면 광학보조기구를 사용할 수 있다. 탄젠트스크린검사를 이용하면 간단하게 시야를 측정할 수 있다. 시야결손 부위를 파악하는 것이 저시력 훈련의 출발점이다. 예를 들어 저시력클리닉을 방문했던 11살짜리 소년은 양안 시력이 모두 0.08이었는데 고개를 돌려 시행한 시력검사에 0.6까지 향상되었다. 시야검사 결과, 양안이측반맹을 보였고 자기공명영상검사에서 뇌종양이 발견되었다. 시야검사가 강조되는 또 한

가지 이유이다.

7) 암슬러격자검사

황반부의 이상이 있는 경우는 암슬러격자를 이용하여 중심암점이나 변형시의 유무를 알 수 있고, 암점의 범위와 위치를 파악할 수 있다. 암점이 중심부에 위치할수록 예측되는 배율보다 고배율의 기구가 필요함을 시사하고, 암점이 주시점의 오른쪽에 있다면 읽기와 쓰기가 힘들고, 절대암점이 크다면 암점이 작은 경우에 비하여 광학적 확대경을 사용하기가 힘들 것임을 예상할 수 있다. 이 검사의 목적은 질환에 관한 정보를 얻기보다는 기능적인 정보를 얻기위함이다. 즉, 이 검사를 통해 얻은 변형시, 흐려짐, 암점 등은 저시력 보조기구의 선택에 영향을 준다. 예를 들면 주시점 주변에 변형시를 호소하는 경우에는 중심외보기훈련을 하기 어렵다. 이런 환자의 경우에는 조도를 높이고 대비를 좋게 하고 원거리의 확대율보다 더 높은 근거리의 확대율을 가진 확대경을 처방한다. 중앙부에 암점을 갖는 환자의 경우 중심외보기 훈련을 한다.

8) 빛번짐검사

많은 저시력 환자에서 눈부심을 호소하므로 눈부심의 정도를 평가한다. 후낭하백내장, 황반변성이 있는 환자들은 특히 더 심한 눈부심을 호소한다(그림 2-7). 일반적으로 대부분의 저시력 환자들에게 조도를 높이는 것이 유리하지만, 조명을 밝게 했을 때 환자가 얼마나 눈부심을 겪게 될 것인가를 미리 평가하는 것이 중요하다. 만약, 빛번짐으로 인해 눈부심이 심한 환자라면, 조도를 높이는 것이 오히려 시기능을 방해할 수 있다. 빛번짐을 평가하는 방법으로, VectorVision CSV-1000 HGT, Stereo Optical Functional Vision Analyzer, Brightness Acuity Tester 등이 있으나, 실제로 외래에서 간단하게는 환자 쪽으로 펜라이트를 비스듬히 비추면서 시력이나 대비감도가 저하되는지 확인해볼 수 있다(그림 2-8).[6] 빛번짐검사 결과에 따라, 환자에게 책을 읽을 때 적합한 조도를 알려주고, 눈부심이 심하다면 착색안경 등을 고려해본다.

그림 2-7. **정상(A) 및 후낭하백내장(B)이 있는 환자가 느끼는 빛번짐 정도의 차이**

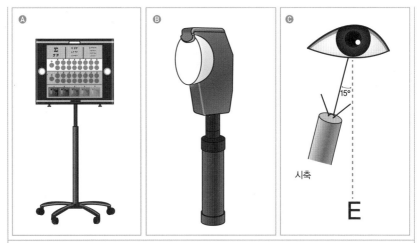

그림 2-8. **빛번짐검사**
A) VectorVision CSV-1000 HGT. 조도를 달리하면서 시력과 대비감도를 측정할 수 있다.
B) Brightness Acuity Tester
C) 외래에서 간단하게는 15도 정도 비스듬히 환자의 눈에 펜라이트 조명을 비추면서 시력이 저하되는지 여부를 확인해볼 수 있다.

9) 내·외안부검사

외안부검사는 일반적인 일차적 안과검사와 같다. 눈운동, 눈모음, 조절근점, 동공반응 등을 검사해야 하고 눈떨림 환자에서는 형태, 정지점의 위치 등을 추가적으로 검사한다. 안저검사도 철저히 하여, 이상이 발견되면 이에 대한 적절한 처치가 병행되어야 한다.

10) 전기생리학검사

저시력 환자에서 상세한 병력 문진 및 이학적 검사 후에도 그 원인 질환을 밝힐 수 없을 때 전기생리학검사를 하게 된다. 이 검사는 망막과 시신경의 기능 및 저시력의 원인을 파악할 수 있게 하여 질환의 예후를 결정하는데 도움을 준다. 환자의 증상 및 임상적 징후에 선행하는 초기 기능적 변화에도 민감하며 질환의 진행 정도를 평가하는데도 가치가 있다.

① 시유발전위도

시기능을 대뇌 피질 수준에서 측정할 수 있는 객관적 검사이다. 유아나 소아, 지적결함이 있는 환자, 정신과적 문제가 있는 환자와 같이 협조가 안 되는 환자에서 유용하다. 시유발전위는 주로 망막중심부에서 기원하는 시피질의 반응이다. 이는 황반부를 이루는 중심 5°의 망막부위가 후두엽 피질의 절반 가량을 차지하기 때문이다.

a) 문양시유발전위도(그림 2-9)

체크문양을 이용하여 자극하며 중심시력을 반영한다. 시기능에 손상이 있는 경우 진폭이 감소하거나 잠복기가 연장되는 소견을 보인다.

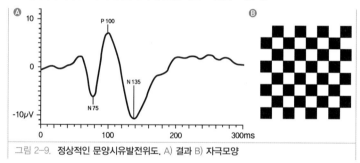

그림 2-9. **정상적인 문양시유발전위도.** A) 결과 B) 자극모양

b) 섬광시유발전위도(그림 2-10)

섬광을 통하여 전체 망막을 자극하므로 전체 시기능을 평가할 수 있으나 미세한 변화를 측정하지 못하는 단점이 있다.

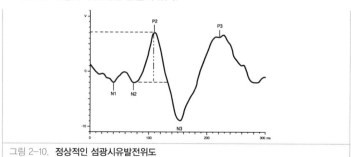

그림 2-10. **정상적인 섬광시유발전위도**

② 망막전위도

a) 섬광망막전위도

섬광망막전위도는 전반적인 망막 기능을 가장 잘 반영하는 객관적 검사이다. 빛의 자극을 받은 시세포는 양극세포를 통해 망막신경절세포로 신호를 전달하게 된다. 섬광망막전위도는 다양한 빛자극을 통해 추체세포와 간체세포를 포함한 시세포, 양극세포, 뮬러세포 및 망막내층의 변화를 측정할 수 있다. 세계임상시각전기생리학회에서는 섬광망막전위도에서 6개의 검사를 포함한 표준을 제시하고 있다(그림 2–11). 최근 빛간섭단층촬영의 해상도가 향상되면서 망막전위도에 대한 의존도가 떨어지고 있다. 하지만 빛간섭단층촬영은 해부학적 구조를 보여주고 기능적 평가는 할 수 없어 일부 질환에서 망막전위도가 진단에 도움을 주는 경우가 있다. 황반부는 전체 망막에서 차지하는 비율이 1% 미만 이므로 황반부 질환에서 망막전위도검사는 정상으로 나올 수 있어 주의해야 한다.

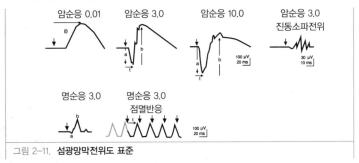

그림 2–11. **섬광망막전위도 표준**

b) 문양망막전위도

섬광망막전위도는 망막신경절세포의 활동성을 반영하지는 못하므로 시신경 질환에서는 유용하지 않다. 망막신경절세포를 확인하기 위해서는 문양망막전위도 검사가 유용하다. 문양망막전위도는 일정한 체크문양의 자극을 주어 기능을 평가하는 것으로 P50과 N95를 보이는 특징적인 파형이 관찰된다. 황반부에 질환이 있는 경우 P500이 감소되며 망막신경절세포의 손상이 있는 경우 N95가 감소되는 특징이 있어 망막질환과 시신경손상의 감별진단에 도움을 준다.

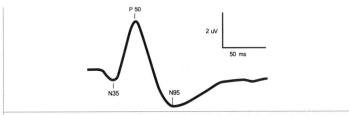

그림 2–12. **정상적인 문양망막전위도 소견, P50은황반부기능 N95는 망막신경절 세포의 기능을 반영함.**

c) 다초점망막전위도

다초점망막전위도가 망막의 국소적인 변화를 측정할 수 있어 진단에 도움이 된다.

저시력 환자의 주요 평가항목

- 원거리 및 근거리 시력
- 정확한 굴절검사
- 시야검사
- 대비감도검사
- 색각검사
- 확대기구를 사용할 때의 시력 평가

3. 저시력 환자의 주요 검사결과의 해석

저시력 환자를 평가한 주요검사 항목들의 결과에 따라 환자의 주된 시각문제를 시력저하, 대비감도저하, 중심암점, 주변시야결손 등으로 분류하여 앞으로의 저시력재활 접근방향을 계획할 수 있다(표 2-2).따라서 체계적인 의무기록을 작성하고 이를 토대로 저시력환자를 보는 것이 중요하다(별첨 30-30 페이지 참조).

표 2-2. **저시력 환자의 주요 검사결과의 해석**

주요검사결과	일상생활중의 장애	관련 주요안질환	저시력재활 접근방향
시력저하	• 읽기 어려움 • TV 보기 어려움	황반변성, 당뇨망막병증, 진행된 녹내장, 시신경위축 등	• 독서대상의 활자 크기를 크게 하고 작업거리를 가까이 함. • 광학 혹은 전자확대기구 이용 • 조도를 높임.
대비감도저하	• 사람 얼굴을 잘 못 알아봄 • 신문읽기가 어려움	황반변성, 각막혼탁, 시신경위축, 당뇨망막병증 등	• 독서할 때 대비강화경을 사용 • 조도를 높이되 눈부심을 유발하는지 유의함. • 전자확대기를 통해 확대율과 함께 대비 및 명도를 높임.
중심암점	• 글자나 단어를 빼놓고 읽음	황반변성 시신경위축 등	• 광학 혹은 전자확대기구 이용 • 중심외보기훈련 • 프리즘 이용한 시야편위

주요검사결과	일상생활중의 장애	관련 주요안질환	저시력재활 접근방향
주변시야결손	• 보행 및 이동 제한	당뇨망막병증(치료후), 망막색소변성, 녹내장, 시신경위축 등	• 마이너스렌즈 및 역상망원경 • 프리즘 이용한 시야확장 • 지팡이 등을 이용한 보행훈련

참고문헌

01. Rosenthal BP, Cole RG. Functional assessment of low vision, Mosby Year Book Co. 1996.

02. Brilliant RL. Essentials of low vision practice, Butterworths–Heinermann Co. 1999.

03. Brown JC, Goldstein JE, Chan TL, et al. Low Vision Research Network Study Group. Characterizing functional complaints in patients seeking outpatient low–vision services in the United States. *Ophthalmology* 2014;121:1655–62.

04. Haymes SA, Johnston AW, Heyes AD. The development of the Melbourne low–vision ADL index: a measure of vision disability. *Invest Ophthalmol Vis Sci* 2001;42:1215–25.

05. Huna–Baron R, Glovinsky Y, Habot–Wilner Z. Comparison between Hardy–Rand–Rittler 4th edition and Ishihara color plate tests for detection of dyschromatopsia in optic neuropathy. *Graefes Arch Clin Exp Ophthalmol* 2013;251:585–9.

06. Maltzman BA, Horan C, Rengel A. Penlight test for glare disability of cataracts. *Ophthalmic Surg* 1988;19:356–8.

저시력 환자용 의무기록 검사일 2013. 11. 26

성명: 김 O 영	(남) 여 생년월일 1967. 12. 15	병록번호 1128XXI

주호소

시력이 나빠서 어떤 점이 가장 불편하십니까?

　실내에서 눈부심

향후 환자가 가장 원하는 일상적인 활동은 무엇인가요?

　업무 볼 때 시력장애 받지 않길 원함

과거력

발병시기:

현재 시각장애등급: 무

최근 안과진료를 받은 시기: 1년전

가족력 및 기타병력:

안과검사

		내원시 시력	현안경				최대교정시력			
		시력	sph	cyl	axis		시력	sph	cyl	axis
원거리	우안	0.1	-1.00	-0.75	160	우안	0.1	-1.00	-0.75	160
	좌안	0.16		-1.50	60	좌안	0.16		-1.50	60
근거리	우안	0.5				우안	0.5	+0.50	-0.75	160
	좌안	0.63				좌안	0.63	+1.50	-1.50	60

대비감도검사 : 착색렌즈 amber또는 yellow 70%

　우안 : 　　　　　　　　　　　　좌안 :

안압 우안　15 mmHg　　　　　좌안　17 mmHg

시야검사　☑ 시행함 우안 : central scotoma　좌안 : central scotoma
　　　　　　☐ 시행하지 않음

시유발전위검사　☐ 시행함 우안 :　　　좌안 :
　　　　　　　　☑ 시행하지 않음

망막전위도　☑ 시행함 우안 :　　　　좌안 :
　　　　　　☐ 시행하지 않음

안운동검사 : 정상

전안부

　우안 : 정상　　　　　　　　좌안 : 정상

동공반응검사 : 정상

안저검사 : 황반부 이상

기타 : 망막전위도상 cone response가 관찰되지 않음.

	진단명 : cone dystrophy(양안)

저시력보조기구 처방

☐ 원거리용

    우안   (0.1 × -1.00 Dsph = -0.75Dcyl × 160 O

    좌안   (0.16 ×   Dsph = -1.50 Dcyl × 60 O

☐ 근거리용

    우안   ×   +0.50   Dsph = -0.75 Dcyl × 160 O

    좌안   ×   +1.50   Dsph = -1.50 Dcyl × 60 O

저시력기구 훈련 및 적용

☐ 원거리용

    1. x4, Kepler telescope

    2.

    3.

☐ 근거리용

    1. 스마트폰 어플(확대경) 사용

    2. 휴대용 전자확대기

    3. x3 전원내장 확대경

☐ 기타 : 착색렌즈(amber 또는 yellow 70%)

최종처방	☐ 근거리용 저시력기구 : 2용 안경사용 (착색렌즈)
	☐ 원거리용 저시력기구 : 안경처방(착색렌즈) 및 망원경처방
	☐ 중심외주시 훈련 : 6' 방향이나 정면에서 약간 아래정도
	☐ 시야확장 :
	☐ 생활훈련 :

조명을 밝게 해 주었을 때 독서하는데 도움이 되는가?

    ☑ 도움이 된다.   ☐ 별 차이가 없다.   ☐ 오히려 더 불편하다.

대비강화경을 사용했을 때 독서하는데 도움이 되는가?

    ☑ 도움이 된다.   ☐ 별 차이가 없다.   ☐ 오히려 더 불편하다.

기타 : 장애진단서 권유

그림 2-13. **저시력 환자용 의무기록**

제 **3** 장

저시력치료의 기본

1. 치료의 원칙

저시력환자에 대한 치료접근은 크게 시각기능재활과 재활기술의 훈련으로 나누어 볼 수 있다. 시각기능재활이란 광학기구 등을 가지고 있는 시기능을 최대한 활용하는 것을 의미하고 재활기술의 훈련은 이런 능력을 일상생활에 적용할 수 있도록 훈련하는 것이다(표 3-1).

표 3-1. **시각기능재활과 재활기술의 훈련적 접근**

시각기능재활	① 확대(magnification) ② 대비감도개선(contrast enhancement) ③ 조명조절(light modulation) ④ 이미지재배치(image relocation) ⑤ 시야편위(field displacement) ⑥ 시야확장(field expansion)
재활기술의 훈련적 접근	① 중심외주시 훈련(training in using preferred retinal loci) ② 읽기재활훈련(training for rehabilitation of reading skills) ③ 쓰기재활훈련(training for rehabilitation of writing skills) ④ 컴퓨터와 확대독서기(CCTV) 훈련(training in CCTV and computer skills) ⑤ 확대경을 사용할 때와 하지 않을 때의 일상생활활동훈련 (training in activities of daily living, with and without magnification.) ⑥ 이동훈련(mobility training) ⑦ 비시각적 인지훈련(training for nonvisual perception)

2. 확대, 축소 및 편위

모든 저시력보조기구는 확대, 축소 또는 편위의 3가지 원리 중 하나를 이용하고 이 중 가장 많이 사용하는 것은 확대이다.

1) 확대

표 3-2. **확대의 종류**

상대거리확대(relative-distance magnification)
상대크기확대(relative-size magnification)
각확대(angular magnification)
전자확대(electronic magnification)
투사확대(projection magnification)

① 상대거리확대(relative-distance magnification)

상대거리확대란 보고자 하는 사물에 가까이 접근하여 물체를 확대시켜 보는 방법
이다. 예를 들어 1m 떨어진 사물의 거리를 50cm로 줄이면 크기는 두 배로 확대되
는 효과를 가져 온다. 일반적으로 물체가 원래 거리의 1/k로 이동하면 k배 확대된
다(그림 3-1).

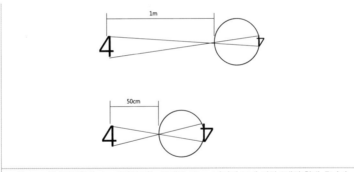

그림 3-1. 상대거리확대. 1m 거리에 있는 물체를 50cm 가까이 보게 되면 2배의 확대 효과가
발생한다.

<예제>
어떤 환자가 40cm에서 근거리시력표의 0.1을 겨우 읽을 수 있다. 만약 근거
리시력표를 20cm로 옮기면, 얼마만큼의 상대거리확대가 생길까?

상대거리확대 = 원래 거리 / 새로운 거리
            = 40cm / 20cm
            = 2

정답 : 2배

② 상대크기확대(relative-size magnification)

상대크기확대는 일정한 거리에서 보고자 하는 사물의 크기를 크게 하는 것으로 예를 들어 책의 글자크기를 2배 키우면 2배의 확대 효과를 가져올 수 있다. 정부에서는 저시력아동을 위해서 큰 활자의 저시력교과서를 펴내고 있고 큰 활자를 이용한 성경책 등을 예로 들 수 있다(그림 3-2).

그림 3-2. **큰 활자를 이용한 확대교과서**

<예제>

어떤 교사가 학생들의 필기시험문제를 원래 활자 크기보다 크게 내고 싶어한다. 1M 글씨를 2M 글씨로 사용한다면 얼마만큼의 상대크기확대가 될까?

상대적크기확대 = 새로운 크기 / 원래 크기
= 2M / 1M
= 2

정답 : 2배

③ 각확대(angular magnification)

광학기구를 이용하면 물체가 가지고 있는 상의 크기를 확대할 수 있다. 각확대는 일정한 거리의 물체를 더 가깝게 보이게 하는데 물체가 가지고 있는 시야각을 넓혀 확대시키는 방법이다(그림 3-3).

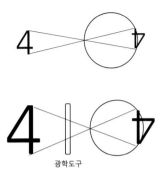

광학도구

그림 3-3. **각확대.** 확대도구를 이용하여 물체를 크게 하면 사물이 망막에 투영되는 시각이 증가하여 크게 보이는 효과가 나타난다.

④ 전자확대(electronic magnification)

전자기구를 이용하여 물체의 상을 크게 할 수 있고 그 예로 확대독서기가 있다. 이것은 비디오카메라와 모니터로 구성되어 있고 사용자가 카메라 밑에 사물을 두면 확대된 상이 모니터에 나온다. 확대율은 카메라렌즈로 조절할 수 있고 대비와 밝기를 조절할 수 있다. 최근에는 태블릿컴퓨터와 스마트폰의 사용이 보편화 되면서 이를 저시력 보조기구로 활용하여 사용할 수 있다. 자세한 내용은 제5장 [전자보조기구]에서 다루도록 하겠다

표 3-3. **전자확대기구의 종류**

1. 확대독서기(closed circuit television, CCTV)
   - 테이블 일체형 : 카메라와 디스플레이 일체형
   - 컴포넌트 : 카메라와 디스플레이가 분리된 형태
   - 컴퓨터 컴포넌트 : 카메라영상을 컴퓨터를 이용하여 변환
   - 스크린 분리형 : 카메라와 컴퓨터가 하나의 디스플레이를 사용하나 분리되어 있는 형태
2. 컴퓨터시스템
   - 화면확대기
   - 복합형 : 화면확대기와 스크린리더기가 같이 운용
3. 휴대용 전자확대기

⑤ 투사확대(projection magnification)

투사확대는 사물을 프로젝터를 이용하여 확대하는 방법이다.

2) 축소

시야가 줄어든 환자(녹내장, 망막색소변성 등)에서 시야를 확장시키기 위해 마이너스렌즈를 이용하거나 망원경을 거꾸로 사용하는 역상망원경(reverse telescope)을 이용하여 상을 축소시켜 시야를 확장 시키는 방법이다(그림 3-4).

그림 3-4. **마이너스렌즈와 걸이개(좌측)와 시야확장을 위한 마이너스렌즈의 사용 예(우측)**

3) 편위

편위는 거울과 프리즘을 이용하여 사물의 위치를 편위 시켜 시야를 확장하는 방법으로 제8장 [주변부시야결손의 치료(프리즘)]에서 자세히 알아보겠다.

저시력보조기구의 세가지 원리

1. 확대   2. 축소   3. 편위

3. 저시력에서의 광학

1) 렌즈의 배율

렌즈의 배율이라 함은 렌즈 없이 볼 때와 렌즈를 통해서 볼 때의 시각비로 나타낸다. 예를 들어 렌즈를 통해서 볼 때 두배로 크게 보이면 배율은 2배가 되는 것이다. 렌즈는 거리에 따라 상의 크기가 달라진다(그림 3-5). 따라서 일반적으로 렌즈의 확대율은 렌즈의 초점거리에 보고자 하는 물체를 놓았을 때 보이는 상의 크기를 말한다. 이런 경우 배율의 공식은 다음과 같다.

$$m = D/4 \text{ (m : 배율, D : 렌즈의 디옵터)}$$

예를 들어 20디옵터 렌즈의 경우 공식에 따라 배율은 20/4=5이므로 5배의 배율을 갖는다. 하지만 물체의 위치에 따라 배율이 달라지므로 5배의 배율을 얻기 위해서는 20디옵터 렌즈의 초점거리인 5cm에 물체를 놓아야 한다. 물체는 렌즈로부터의 거리에 따라 상의 크기가 달라지고(그림 3-5), 물체를 초점거리에 위치시키면 배율은 일정하게 유지되나 눈이 렌즈에 가까이 갈수록 시야는 넓고 멀어질수록 시야는 좁아진다.

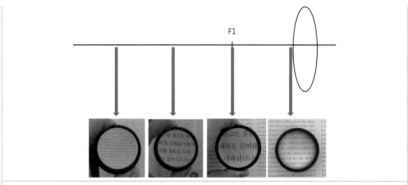

그림 3-5. 렌즈의 초점거리인 F1에 물체를 놓았을 때 확대율이 가장 좋다.

2) 확대율의 결정

안경형근거리용기구의 확대율을 정하기 위해서는 우선 predicted add를 구

해야 한다. 저시력환자가 원하는 글자 크기를 읽을 수 있도록 사물을 가까이 보고자 할 때 적절한 조절력이 필요하며 이러한 조절력을 보정하기 위해 새로운 도수를 추가해 주어야 한다. 이 도수를 predicted add라 하고 단위는 디옵터로 표시한다.

> **〈예제〉**
> 4디옵터의 원시를 가지고 있는 경우 6디옵터의 안경이 필요하다면 predicted add는 2디옵터이다.

근거리를 보기 위한 확대율 결정 방법은 아래와 같다.

1. Lebensohn의 Reciprocal of vision 법칙 : 원거리최대교정시력과 근거리목표시력을 이용한 방법이다. 원거리최대교정시력의 분모를 근거리목표시력의 분모로 나누면 필요한 확대율을 구할 수 있다.

> **〈예제〉**
> 원거리최대교정시력이 20/200인 경우 근거리목표시력이 20/50의 시력표를 읽기 원한다면 200 / 50 = 4 즉 4배의 확대율이 필요하다(4배의 확대율이 필요하므로 16디옵터의 확대경을 처방).

2. Kestenbaum의 법칙 : 이 법칙은 근거리시력표로 20/50을 볼 수 있는 확대율을 쉽게 구할 수 있는 공식이다. 원거리 최대교정시력의 역수가 근거리시력표로 20/50을 보기 위해 필요한 디옵터이다.

> **〈예제〉**
> 원거리 최대교정시력이 20/200인 경우 역수는 200/20 =10이므로 10디옵터의 확대경을 착용하면 근거리시력표로 20/50을 볼 수 있다.

3. 저시력용 근거리시력표를 이용한 방법

근거리시력표를 이용하면 손쉽게 필요한 배율을 확인할 수 있다(그림 3-6).

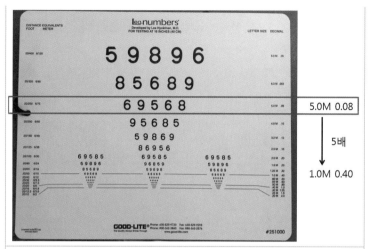

그림 3-6. 근거리 시력이 5M인 경우 1M의 글자를 보기 위해서는 5M/1M = 5, 즉 5배의 확대
가 필요하다.

<예제>
20/160의 시력을 갖고 있는 저시력환자가 근거리시력표의 20/50의 글자를
보고 싶어 한다. 이때 보정해 주어야 할 안경도수 값은?

<풀이>
Kestenbaum의 법칙에 의해 20/160이 최대교정시력인 경우, 그 역수는
160/20이므로 8 D의 렌즈가 필요하다

확대율에 필요한 디옵터 결정

Lebensohn의 Reciprocal of vision 법칙:
원거리최대교정시력의 분모 / 근거리목표시력의 분모

Kestenbaum의 법칙:
근거리시력 20/50을 보기 위해 필요한 굴절력(D)으로 원거리최대교정시력의 역수

3) 망원경의 광학

망원경의 배율은 접안렌즈와 대물렌즈의 비율로 결정된다.

$$m = - (D접안렌즈/D대물렌즈)$$

확대율이 마이너스인 경우는 상이 뒤집혀 보이는 도립상을 얻게 된다(그림 3-7).

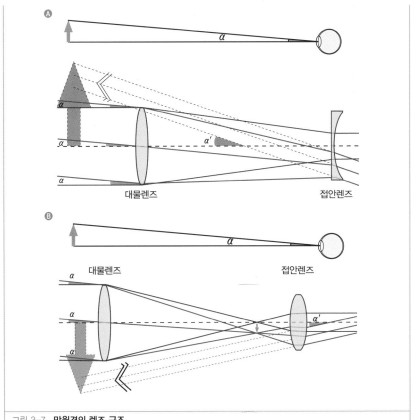

그림 3-7. **망원경의 렌즈 구조**
A) 갈릴레이식 : 대물렌즈가 볼록렌즈이고 접안렌즈는 오목렌즈이므로 직립상을 얻게 된다.
B) 케플러식 : 대물렌즈와 접안렌즈 모두 볼록렌즈이므로 도립상을 얻게 된다.

4. 저시력환자의 심리적 지지

2015년 Sturrock 등[1]의 보고에 의하면, 저시력에 대한 개개인의 대처 성향에 따라서 시력재활의 결과가 영향을 받는다고 하였다. 개개인의 대처 성향을 문제해결성향, 사회적 지원요구성향 그리고 회피성향으로 나누어 각 성향이 기능적, 감정적 만족상태에 미치는 영향을 분석하였으며, 3가지 성향 중 회피성향을 가진 저시력환자의 경우 다른 성향에 비해 유의하게 기능적, 감정적 만족이 떨어졌다. 따라서 저시력환자의 치료 및 재활은 기능적 보조에 그치는 것이 아니라 현재상황에 대한 대처방법에 대한 교육과 정서적 지지를 통한 재활과정에의 적극적인 참여유도가 필요하며, 이를 통해 저시력환자의 치료는 빛을 볼 수 있다고 하겠다.

1) 자기 자신의 시력장애와 앞으로의 진행여부, 병의 특징상 있을 수 있는 문제들에 대하여 설명한다.

2) 새로운 거리에서 읽기를 적응시킨다.

3) 기구사용에서 오는 외관상의 부자연스러움에 적응을 잘 하느냐, 못하느냐에 따라서 보조기구 사용의 성공률 및 만족도가 달라진다. 처음 망원경등을 주면 실망하고 익숙해지는데 시간이 걸린다. 그러나 이런 보조기구를 이용하면 얼마나 기능적 시력이 향상되는가를 보여준다.

4) 보조기구 적용 시 환자는 렌즈를 양안으로 주시하거나 전체를 활용하려고 하므로 상의 뒤틀림을 경험하게 되고 쉽게 실망한다. 초기에는 고배율 일수록 중심부를 주시하여 적응 시킨 뒤 점차 주변시야를 넓히는 요령을 터득시켜야 한다.

5) 충분히 격려해준다. 예를 들면 시력검사를 할 때도 한 줄에서 한자만 읽어도 다음 줄로 넘어가게 한다든지 하는 것이다. 저시력은 보는 방법을 좀 달리해야 하므로 불편할 뿐이지 못 보는 것 과는 아주 다르다는 것을 알려준다.

6) 보조기구의 적절한 사용 방법을 잘 터득했는지 관찰해야 하며 정기적인 재평가를 하여 시력변동을 관찰하고 이상이 있을 때는 수시로 검사를 받도록 한다.

7) 처음 저시력 보조기구를 처방한 후 약 2주 후에 다시 한번 방문하도록 하는데 교육을 위하여 의사와 환자가 상의하여 정한다.

저시력환자에서 기능적 보조는 저시력 재활에서 가장 기본적이며, 중요한 부분이다. 고전적인 저시력재활은 위와 같은 기능적 보조에 초점이 맞추어져 있다. 그러나 저시력재활의 목표인 일상생활에서 삶의 질 향상이라는 목표는 단지 객관적으로 가장 좋은 시력을 얻을 수 있게 해주는 것으로 이루어지지 않는다는 연구결과들이 발표되고 있으며, 최근 저시력재활에서 삶의 질에 영향을 줄 수 있는 요인으로서 정신건강의 중요성이 대두되고 있다. DSM-V의 진단기준에 부합하지는 않는 우울, 불안의 성향만 있어도 저시력환자의 삶의 질에 영향을 줄 수 있으며, 또한 이는 저시력재활의 실패의 원인이 될 수 있다고 하며, Rovner 등[2]의 보고에 의하면, 시각기능의 보조와 더불어 시행한 활동지원이 기존의 저시력재활에 비하여 저시력환자에서 우울증의 발생을 유의하게 감소시켰다. 따라서 저시력재활은 고식적인 시각기능의 보조와 더불어 정서적, 신체적 재활을 포함시키는 포괄적인 개념으로 인식하여야 한다.

5. 저시력재활치료 성공에 영향을 주는 변수

1) 동기

저시력기구의 사용에 성공하려면 환자의 구체적인 동기와 긍정적인 태도가 중요하다. 보조기구에 대한 거부감이 있을 때는 성공하기 어렵다.

2) 개인력 조사

환자나 보호자로부터 개인력을 잘 들어보면 치료나 처방을 계획하는데 도움을 받을 수 있는데, 특히 저시력 치료에 있어서는 다음 사항들을 알아야 한다.

(1) 시각장애의 특성은 무엇인가?

시력장애 환자들은 다음과 같은 몇 가지 시각 문제들 중 한가지 이상을 호소한다. 첫째는, 상을 명확히 볼 수 있는 능력의 장애이며 대개는 황반부 기능이 감퇴하면서 나타난다. 둘째는 만성 녹내장이나, 야맹증을 유발하는 망막 색소변성과 같은 질환에 의한 시야협착이다. 셋째는 대비감도의 저하로 인한 어려움이다.

(2) 시각장애의 예후, 지속 기간은 어떠하며 얼마나 될 것인가?

시각장애가 생긴지 얼마 안 된 환자들은 대체로 장애의 현실감이 아직 절실하지 않으므로 저시력 기구를 사용하는 데에 소극적이다. 초기에는 시력을 이전 상태로 되돌릴 수 있는 보조기구가 없음을 쉽게 받아들이지 못한다. 황반부종이나 유리체출혈 등이 재발되는 당뇨망막병증 환자들은 시력의 변동을 경험하면서 정서적으로 우울해져 저시력보조기구에 적응하는 데 어려움을 겪기도 한다. 일단 환자가 저시력기구에 만족하면 잘 적응할 수 있도록 훈련시킨다.

(3) 환자의 교육환경은 어떠하며 특히 읽기 습관은 어떤가?

지적 욕구가 별로 없는 연령층, 낮은 교육수준, 또는 기대치가 아주 높은 경우 만족도가 그다지 높지 않을 수 있다. 보조기구로 시력을 개선해주는 것이 모든 환자들에게 도움이 되는 것은 아니며 또한 반드시 만족감을 주는 것도 아니다. 개인력 조사를 충분히 하는 것과 보조기구의 적응도를 잘 관찰하는 일은 보조기구 처방에 있어 가장 중요한 첫걸음이라 할 수 있다.

(4) 발병하기 전 환자가 하던 일은 무엇이었으며 현재는 어떠한가?

저시력 검사를 시작하기 전, 환자가 원하는 작업이 무엇이며, 저시력으로 인해 가장 힘든 작업이 무엇인지 우선 파악해야 한다. 대부분은 읽기, 보행할 때 신호등이나 거리표지판 식별, 운전, 혹은 다른 사람의 얼굴을 알아볼 수 있기를 희망한다. 환자들이 원하는 각각의 작업에 따라 각각 다른 시각 보조기구가 필요하다는 사실을 알려주어야 한다.

(5) 환자의 시각적 기대치는 얼마나 현실적인가?

환자의 기대치에 맞게 저시력보조기구를 처방해야 한다. 예를 들면, 운전을 못하는 것을 가장 힘들어 하는 환자에게 독서에 적합한 광학기구를 처방해

주면 만족감을 줄 수 없으며, 실제로 큰 도움을 주지 못한다. 환자가 우선적으로 원하는 것에 맞출 수 있도록 한다. 환자에게 실망을 주지 않도록 신중하게 기구를 선택한다.

(6) 환자에게 다른 신체적 장애가 동반되어 있는가?

뇌졸중과 동반된 시력저하가 있는 환자에게 적합한 보조기구를 선택할 때 신중해야 한다. 예를 들어, 뇌졸중으로 인해 우측 편마비가 된 오른손잡이 환자에게는 손잡이확대경보다는 안경형을 선택하는 것이 바람직하다.

(7) 환자가 보조기구로 무엇을 처음 경험하는가?

(8) 환자의 적응도는 어떠한가?

3) 지지

저시력 기구에 잘 적응하는데 가족의 역할이 중요하다. 미국의 미셔맹학교에서 조사한 결과를 보면 같은 시력과 지능을 갖는 아동군에서 저시력보조기구를 주고 일반학교로 보낸 후 관찰했더니 1년 후 과반수가 다시 맹학교로 돌아왔다고 한다. 일반학교에 성공적으로 적응한 아이들에겐 자녀의 시각적, 사회적 변화에 관심을 가지고 협조적이며 자녀의 시기능 개선을 위해 애썼던 부모가 있었다. 가족 외에도 그들을 위한 사회적 지원체계는 반드시 필요하다.

4) 시력과 시야 정도

시력저하의 정도와 남아있는 시야의 범위에 따라 저시력기구에 적응하는 정도가 영향을 받는다. 보조기구를 성공적으로 사용하는 데에, 시력이 밀접한 관련이 있기는 하지만, 원거리시력이 나쁘다고 해서 늘 그 결과가 나쁜 것은 아니다. 또한 원거리시력이 꼭 읽기에 좋은 시력을 의미하지도 않는다. 중심시야장애를 가진 환자들은 원거리시력이 0.4 이상이더라도 읽는데 어려움을 호소하기도 한다. 시력이 나쁜 환자도, 읽고자 하는 대상을 눈에 가깝게 하고 확대율을 높게 하고, 환자가 가진 자신의 조절력을 최대한 활용하도록 훈련한다. 나이가 어린 소아에서는 조절력이 충분하므로 실제 예상되는 확대배율보다 낮추어 적용해볼 수 있음을 고려해야 한다.

5) 검안과 굴절검사

저시력 기구를 처방하기에 앞서 시력감소의 원인을 진단하기 위해 안과검사를 세밀히 시행하고, 가능한 최대한 굴절교정을 해보는 것이 필요하다. 보통 환자들과 다른 점은 최대한의 인내를 가지고 천천히 시행해야 한다는 점이다.

6) 교육

저시력기구를 적용하기 전에 눈과 특수렌즈에 대해 간단히 설명을 해주고 어떠한 안경도 손상된 시신경이나 망막의 기능을 대체할 수 없음을 알려준다. 저시력보조기구의 모양과 장단점을 알려주고 환자가 너무 큰 기대를 갖지 않도록 한다.

7) 최적의 기구 결정

저시력치료의 대부분은 망막에 맺히는 상의 크기를 확대시키고 망막까지 도달하는 빛의 투과율을 높게 하는 것이다. 가장 좋은 저시력기구는 가장 좋은 시력을 내도록 하는 것이 아니라, 실제로 환자가 사용하는 데 가장 불편하지 않는 배율을 갖는 기구이다.

참고문헌

01. Sturrock BA, Xie J, Holloway EE, et al. The Influence of Coping on Vision-Related Quality of Life in Patients With Low Vision: A Prospective Longitudinal Study. *Invest Ophthalmol Vis Sci* 2015;56:2416-22.

02. Rovner BW, Casten RJ, Hegel MT, et al. Low vision depression prevention trial in age-related macular degeneration: a randomized clinical trial. *Ophthalmology* 2014;121:2204-11.

제 **4** 장

광학기구

광학기구는 크게 확대에 바탕을 두고 제작되는 경우가 많고 광학기구마다 장단점을 가지고 있다. 이를 고려하여 환자가 원하는 거리 및 작업에 따라 어떠한 광학기구를 처방할지 고려해야 한다. 광학기구는 그 모양 또는 사용거리에 따라 분류할 수 있다.

표 4-1. **사용거리에 따른 광학기구 분류**

근거리용기구(25cm 이상)
안경형
· 전시야현미경(full-field microscope)
− 구면렌즈(spherical lens)
− 비구면렌즈(aspheric lens)
− 더블릿렌즈(doublet lens)
· 프리즘반안경(prismatic half-eye glasses)
· 이중초점현미경(bifocal glasses)
· 루페(loupe)
확대경(magnifier)
· 손잡이확대경(hand-held magnifiers)
· 스탠드확대경(stand magnifiers)
· 집광확대경 및 막대확대경(bright field magnifiers and bar magnifiers)

중간거리용기구(25cm − 60cm)
망원현미경(telemicroscope)

원거리용기구(2meter 이하)
망원경(telescope)
· 이중초점(bifocal)
· 자동초점(autofocus)
분류 : 모양에 따라
· 손잡이식(hand-held)
· 안경부착식(spectacle mounted)
분류 : 원리에 따라
· 갈릴레이망원경(Galilean telescopes)
· 케플러망원경(Keplerian telescopes)

1. 근거리용 기구

근거리용 기구의 선택에 있어서 안경형을 우선적으로 고려해야 한다. 안경형이 환자들에게 친숙한 저시력기구이므로 거부감이 적다. 환자에게 필요한 배율이 안경형으로 어려울 때는 그 다음으로 손잡이확대경을 처방한다. 만약 손떨림이 있거나 두 손을 사용하기 원한다면 스탠드확대경을 고려한다. 시력 저하가 심하지 않은 환자에서는 루페를 권하는 것이 근거리나 중간거리의 작업에 도움이 된다. 근거리용 기구를 먼저 처방 한 후 중간거리용과 원거리용 기구를 시도하는 것이 바람직하다.

1) 안경형근거리용 기구

전시야현미경(full-field microscope), 프리즘반안경(prismatic half eye glasses), 이중초점안경(bifocal glasses), 루페(loupe) 등이 포함된다.

① 전시야현미경
일반적으로 현미경이라 하면 수술용 혹은 눈으로 볼 수 없는 작은 물체를 관찰하는 기기를 떠올릴 수 있으나, 저시력에서는 고배율의 볼록렌즈를 끼운 안경을 현미경(microscope)이라고 부르며 현미경과의 혼동을 피하기 위해 이를 저시력현미경이라고 부르는 것이 바람직하다. 현미경(microscope)과 망원현미경(telemicroscope)의 개념은 혼동되기 쉬운데 이 중 망원현미경은 중간거리용 현미경으로 근거리용망원경(near telescope) 혹은 독서용망원경(reading telescope)으로 부르기도 한다. 일본에서는 현미경을 약시경이라고 부른다. 렌즈의 종류에 따라 아래와 같은 특성이 있다.
- 구면렌즈(spherical lens) : biconvex lens 혹은 plano-convex lens (+8 D 까지 가능)
- 비구면렌즈(aspheric lens) : 주변부수차를 줄이는데 유용 (+10 D ~ +48 D)
- 더블릿렌즈(doublet lens) : 일반적으로 높은 플러스렌즈를 사용하면 상의 왜곡이 발생하는데 두 개의 convex lens를 겹쳐 만들어 수차를 줄이고 시야를 넓힐 수 있게 고안된 렌즈(그림 4-1)

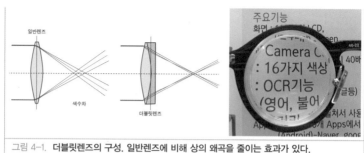

그림 4-1. 더블릿렌즈의 구성. 일반렌즈에 비해 상의 왜곡을 줄이는 효과가 있다.

전시야현미경에서 흔히 쓰이는 것으로 클리어이미지(ClearImage II®)라는 상품명으로 나와 있는 더블릿렌즈가 있다(그림 4-2). 이는 전시야현미경 중 가장 높은 확대효과가 있다.

그림 4-2. **클리어이미지(ClearImage II®) (더블릿렌즈 X2 ~ X8)**

전시야현미경을 처방 할 때 초점거리의 변화가 요구되는 작업의 이동성 여부뿐 아니라 필요한 확대, 시야 그리고 작업거리등을 고려해야 한다. 그러나 현미경을 이용하여 양안시를 가능하게 하기 위해서는 일반적으로 +12 D까지가 실용적이다. 하지만 주로 그 이상이 필요하므로 주로 단안으로 처방하게 된다. 동등한 확대율의 광학기구 중 시야가 가장 넓다. 정시의 경우는 근거리에서 안경부를 사용하고 원거리는 안경 너머로 보면 되므로 편리하다.

② 프리즘반안경

프리즘반안경은 일반안경의 절반크기의 의미로 반안경이란 용어를 사용한다. 필요한 확대율을 적용하여 양쪽안경에 높은 볼록렌즈를 끼우면 눈이 개산(divergence)되므로 이를 보정하기 위해서 기저내측(base in)으로 프리즘을 같이 넣은 것을 반안경 (half-glasses, half-eyed microscope)이라고 한다. 렌즈도수보다 보통 2 PD 높여 기저내측 (base-in)으로 넣는다. 예를 들어 양안에 +10 D 렌즈와 함께 12 PD를 기저내측으로 넣는다.

+4 D ~ +14 D 가 처방 가능 하고 제품화되어 있는 것들이 많이 사용되고 있다(그림 4-3). 양안 시력이 비슷한 경우, 또는 한쪽 눈만 시력이 좋은 경우에도 사용 할 수 있다.

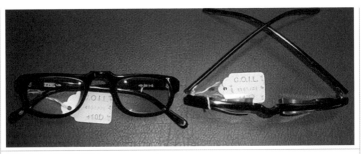

그림 4-3. **프리즘반안경**

프리즘반안경의 처방

렌즈도수(D)에 2 PD를 더하여 기저내측(base-in)으로 처방
예 : + 4디옵터의 경우 6PD를 base in으로 양안에 각각 처방
처방가능 도수 : +4 D ~ +14 D
중심시야손상이 심하지 않은 황반변성의 경우에 사용하면 효과적이다

③ 이중초점안경

일반적인 안경처방에 필요한 확대율을 가진 볼록렌즈를 추가로 넣은 안경이다(그림 4-4). 이중초점안경을 사용하는 경우 근거리작업에서는 작업거리가 짧아짐을 설명해 주어야 한다. 양안에 넣는 경우 +4.5 D까지 가능하고 단안에 넣는 경우 +16 D까지 적응이 가능하다. 양안에 넣는 경우 작업거리가 짧아져 눈모음이 발생하므로 근거리부의 위치가 코쪽으로 향하도록 디자인해야 한다.

그림 4-4. **이중초점안경**

④ 루페

안경 앞쪽에 볼록렌즈를 장착하면 작업거리가 늘어나게 되는데 이를 루페라 한다 (그림 4-5). 루페는 고정시킬 수 도 있고 clip-on 타입처럼 필요할 때만 장착할 수 도 있으며 단안과 양안 모두 적용이 가능하다.

루페의 장단점 : 루페의 장점은 이중초점안경보다 더 넓은 시야가 확보되고 필요 하지 않은 경우 간단히 루페를 젖혀 사용할 수 있다. 루페는 원거리안경에 클립으 로 고정하게 되어 있고 다른 현미경종류에 비해 시야가 넓고 편리하게 사용 할 수 있으나 경우에 따라 근거리용 안경이 더 필요할 수 있다.

그림 4-5. **루페**

안경형기구의 처방 순서

1. 근거리시력표 20/50(1M)의 활자크기를 목표로 하는 경우

   a. 환자의 원거리 최대교정시력을 측정한다

   b. Kestenbaum의 법칙에 따라 환자에게 원거리최대교정시력의 역수에 해당 하는 디옵터를 씌우고 초점거리를 계산하여 눈과 사물간의 거리로 한다.

   c. 예를 들어 20/160의 최대교정시력을 가진 경우 8 D의 안경을 착용하고 12.5cm에서 근거리 시력표를 읽게 한다.

2. 목표하고자 하는 시력을 정한 경우

   a. 환자의 원거리 최대교정시력을 측정한다

   b. Lebensohn의 reciprocal of vision 법칙에 따라 목표하는 시력과 원거리최대교정시력을 이용하여 필요한 굴절력을 계산한다.

   b. 계산된 굴절력의 렌즈를 끼우고 초점거리를 계산하여 눈과 사물간의 거리로 한다.

   d. 예를 들어 20/160의 교정시력인 환자가 20/40의 활자크기를 보고자 하는 경우 160/40 = 4이므로 4 D의 안경을 착용하고 25cm에서 근거리 시력표를 읽게 한다.

3. 필요한 굴절력이 10디옵터 이상인 경우에는 눈의 개산이 발생하므로 프리즘 반안경으로 처방한다

4. 원시 및 근시의 굴절이상을 가지고 있는 경우의 처방 배율

   a. 굴절이상이 있는 경우 안경을 착용하지 않는다면 그 굴절이상을 고려하여 처방하여야 한다. 처방에 필요한 확대율은 다음과 같다

$$\text{확대율} = \frac{\text{대상을 보기위한 시력}}{\text{교정시력}} + \frac{\text{굴절이상(디옵터)}}{4}$$

<예제>

20/200의 교정시력을 가지고 있는 −8 디옵터의 근시 환자가 20/40의 활자를 보고자 하면 (20/40 ÷ 20/200 = 5) + (−8/4 = −2) = 3배이므로 안경착용 없이 12디옵터를 처방하면 된다.

5. 확대 도수가 정해지면 시력표가 아닌 신문이나 책과 같이 연속된 글자를 읽어 적응하는 훈련을 한다.

6. 초점거리가 짧아지므로 독서대를 이용하는 것이 도움이 된다.

7. 이러한 훈련은 수 차례 반복해서 실시하는 것이 중요하고 이러한 과정을 환자가 이해하고 적응해야 광학기구를 잘 사용할 수 있게 된다.

8. 도수가 높아지면 작업거리가 짧아지므로 조명을 방해할 수 있어 충분한 교육이 필요하다.

9. 환자의 최대교정시력이 한 눈이 비교적 나쁜 경우 그 눈을 사용하지 않을 것이라는 전제하에 좋은 눈에 맞추어 처방하는 것은 피해야 한다. 시

력이 좋지 않은 눈이라도 시야 확장에 도움이 된다.

10. 우세안이 심하게 손상된 경우에는 일부에서 주시안에 혼란을 가중시킬 수 있어 가림을 하는 것이 도움이 된다.

2) 확대경

가장 손쉽고 환자에게 거부감이 없는 저시력보조기구가 확대경이라 할 수 있다. 신문이나 성경책을 읽거나 약전을 읽을 때와같이 작은 물체를 보기 위해서 널리 사용된다(그림 4-6).

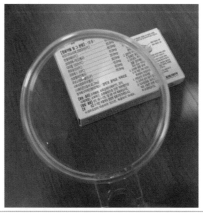

그림 4-6. **일상생활에서 흔하게 접하는 약전의 글자와 같이 작은 물체를 확대하는 데 유용하다.**

① 손잡이확대경

광원을 내장하지 않은 것과 내장한 것이 있다(그림 4-7, 그림 4-8). 최근에는 LED 조명을 이용한 확대경들이 많이 쓰인다. 대비감도가 떨어졌을 때는 광원내장형이 유용하다.

손잡이확대경은 낮은 배율의 경우 쉽게 적응할 수 있고 휴대할 수 있어 간편하다. 반면 단점으로는 두 손을 쓸 수 없으며, 손떨림이 있는 노인의 경우 적용이 어렵고 배율이 높을수록 시야는 좁아지며 초점거리가 짧아 장시간 사용하기가 불편하다. 또한 손의 위치에 따라 초점이 변한다. 별도의 독서용 안경 없이 사용할 수 있으며, 눈에서 멀어질수록 렌즈 주변부에서 왜곡이 발생한다.

그림 4-7. **여러 가지 모양의 손잡이확대경**

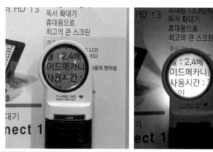

그림 4-8. **조명이 달린 손잡이확대경**

손잡이확대경의 확대율은 제조회사마다 차이가 있지만 일반적으로 굴절력을 4로
나눈 값을 확대율로 추정할 수 있다. 예를 들어 12 D의 확대경은 약 3배의 확대율
을 가지고 있다고 말할 수 있다.

손잡이확대경은 종류가 다양하여 필요에 따라 선택할 수 있는 장점이 있다. 일부
확대경은 다양한 배율을 선택할 수 있게 고안된 제품도 있다(그림 4-9). 사각형의
손잡이확대경은 시야가 넓으나 고배율을 제작하기 어려운 단점이 있고 고배율일
수록 직경이 줄어들게 되어 시야가 좁아진다. 일부 손잡이확대경은 조명을 제공하
거나 무반사코팅이나 색수차를 줄이는 특수렌즈를 적용하기도 한다.

그림 4-9. **다양한 배율을 가진 손잡이확대경**

손잡이확대경 처방 시 주의사항

a. 초점거리가 있음을 알려주고 적응하도록 해야 한다.

b. 확대경을 반드시 물체와 평행하게 쥐도록 한다.

c. 환자에게 확대경과 눈이 같이 움직이면서 사물을 찾을 수 있도록 교육한다.

d. 주변부왜곡을 줄이기 위해 렌즈의 튀어나온 면이 환자의 눈 방향으로 오도록 들게 한다.

e. 물체가 확대경의 초점거리보다 다소 가깝게 위치하는 것이 더 좋은 상을 가져온다

f. 물체가 초점거리보다 멀어지게 되면 사물이 뒤집혀 보인다.

g. 확대경에서 눈이 멀어지면 시야가 좁아질 수 있다.

h. 일부 착색렌즈는 대비감도를 개선시키나 사물을 다소 흐리게 만들 수 있다

② 스탠드확대경

가변초점스탠드확대경이 있기는 하지만 대부분은 초점이 고정된 세우는 확대경이 사용된다(그림 4-10). 조명식과 비조명식이 있다.

스탠드확대경은 초점거리 내에 사물이 위치하면 렌즈주변부의 왜곡이 적고 손떨림이 있거나 손을 가누는 것이 힘든 환자에서도 적용이 가능하고 두 손을 사용할 수 있다는 장점이 있다. 하지만 굴절이상을 교정해야 초점이 맞고, 시선이 렌즈와 수직이 되지 않으면 수차가 발생할 수 있다. 장시간 사용할 수 있는 반면, 부피가 커서 가지고 다니기 어렵고, 읽고자 하는 대상이 평면일 경우에만 적용할 수 있고 적용자세가 불편할 수 있다.

그림 4-10. **스탠드확대경**

손잡이확대경과 스탠드확대경의 단점

손잡이확대경 : 손떨림이 있는 경우 불편, 양손 사용이 불가

스탠드확대경 : 부피가 크고 거치가 어려울 수 있음

③ 집광확대경 및 막대확대경

집광확대경은 빛을 모아서 별도의 전원 없이도 밝게 보인다. 모양에 따라 돔형과 막대형으로 분류한다. 2배정도의 확대를 얻을 수 있다.

집광확대경은 사용이 편리하므로 기구사용이 익숙하지 않은 소아나 노인의 경우에 추천된다. 쓰기가 간편하여 조절력이 풍부한 어린이의 경우 가장 많이 처방된다. 막대확대경은 가이드라인이 있어 편리하지만, 상의 질이 떨어져 잘 사용되지 않는다. 최근에는 배율조정이 가능한 돔형 확대경도 개발되었다(그림 4-11).

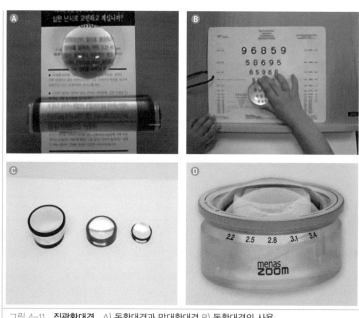

그림 4-11. **집광확대경.** A) 돔확대경과 막대확대경 B) 돔확대경의 사용
C) 다양한 돔확대 D) 배율조정이 가능한 돔확대경

④ 확대경의 처방 원칙

확대경은 스탠드확대경과 손잡이확대경 모두에서 대략 +28 D까지 가능하고 일부 확대경은 광원을 지원하여 더 좋은 환경을 제공한다. +20 D 이상이 필요한 경우에는, 렌즈를 포켓용확대경이나 고배율의 스탠드확대경으로 만들게 된다. 두 가지 모두 시야가 매우 좁고 기구를 눈에 아주 가까이 대야만 한다. 또한, 조절력이 없는 노인의 경우에는 스탠드확대경을 사용할 때 근거리용 안경을 함께 사용해야 한다. 저시력현미경은 독서, TV 시청과 같은 장기간의 작업에 용이하고 확대경은 가격표나 영수증보기와 같은 짧은 작업에 유용하다.

2. 중간거리용 기구

1) 망원현미경

    망원현미경은 near telescope 또는 reading telescope라고도 하며 망원경의 대물렌즈 앞에 플러스렌즈를 부착함으로써 책을 눈에 너무 가까이 대지 않고도 읽을 수 있도록 만들어진 기구이다. 양안에 사용하는 경우 2.5배까지 가능하나 단안의 경우, 그 이상도 가능하다. 망원현미경은 25~60cm의 중간 작업거리가 필요한 경우에 쓰인다. 대물렌즈 앞에 부착하는 렌즈를 플러스캡(plus cap) 혹은 리딩캡(reading cap)이라고 하는데, 리딩캡의 초점거리가 작업거리가 된다(그림 4-12). 중간거리작업인 악기연주, 그림 그리기, 컴퓨터작업, 요리하기 등에 망원현미경이 유용하다. 원거리를 보기 위해 고안된 망원경의 대물렌즈의 배율을 높이거나, 대안렌즈의 배율을 낮게 변형시키면 근거리나 중간거리를 볼 수 있다.

    망원현미경의 총배율은 망원경배율과 리딩캡의 배율을 곱한 것이다. 예를 들어 4배 망원경에 +8 D의 리딩캡(8D/4 = 2배)을 씌우면, 총 확대율은 8배(4×2 = 8)가 되고 초점거리는 리딩캡에 의하여 결정되므로 100/8D = 12.5cm이다. 작업거리가 40cm인 경우 리딩캡의 도수는 초점거리가 40cm인 +2.5 D의 리딩캡이 필요하다. 망원현미경의 장점은 같은 배율로 긴 작업거리를 확보할 수 있다. 예를 들어 8배 확대율을 갖기 위해서 현미경을 사용한다면 일반적으로 4 D마다 1배 확대의 효과가 있으므로 8×4 = 32, 즉 32디옵터의 현미경이 필요하고 32디옵터의 경우 초점거리는 100/32 = 3.125, 즉 약 3cm의 초점거리를 갖게 된다. 하지만 위에 기술 한 바와 같이 4배 망원경에서 2배 확대율을 갖는 +8 D의 리딩캡을 끼운 망원현미경의 초점거리는 리딩캡의 디옵터에 의해 결정되므로 100/8 = 12.5cm 가 되어 작업거리는 늘어나고 일하는데 필요한 8배의 확대율은 그대로 유지할 수 있다(그림 4-13). 하지만 편리한 반면에 시야가 많이 줄어든다는 단점이 있다. 따라서 좁은 시야를 통해 볼 수 있는 환자의 시각적 기술이 필요하고 환자가 이 기구에 얼마나 익숙해질 수 있는가가 중요하다. 시야를 조금이라도 넓게 하기 위해 전시야안경이나 클립형으로 만든 것도 있다. 같은 배율의 망원경이라 하더라도 망원경이 더 클수록 시야가 더 넓다.

그림 4-12. **2.2배 망원경과 여러 가지 종류의 리딩캡. 이 두 가지를 조합하면 망원현미경이 된다.**

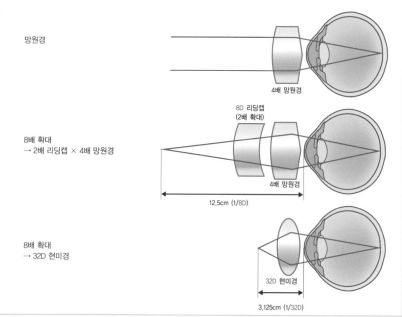

그림 4-13. A. 망원경의 초점거리는 무한대이다.
B. 4배의 배율을 가진 망원경을 착용한 상태에서 2배확대율을 가진 8 D의 리딩캡을 착용하면 총 배율은 8배가 된다.
C. 망원경이 아닌 일반 현미경으로 8배의 확대율을 나타내려면 32 D의 렌즈가 필요하고 초점거리는 3.125cm가 되어 리딩캡을 사용한 경우보다 1/4정도로 가까워지게 된다

망원현미경

망원현미경의 총배율 = 망원경배율 X 리딩캡의 배율
작업거리는 리딩캡의 배율에 의해 결정됨

\<증례\>

20세 남자가 +8.0 D의 리딩캡이 달려 있는 2.2배의 망원경으로 12.5cm에서 서류를 본다. 사용거리를 25cm로 늘려주면서 읽고 있는 글씨의 크기를 그대로 하려면 몇 배의 망원경과 리딩캡이 필요할까?

\<답\>

12.5cm에서 25cm로 늘릴 때 초점거리는 리딩캡에 의해 결정되므로 리딩캡은 +4 D를 사용하면 된다. 이때 리딩캡의 도수가 감소되므로 망원경의 확대율을 2배 높여야 하므로 4.4배의 망원경을 사용해야 한다.

3. 원거리용기구

1) 망원경

학교에서 칠판을 보거나, 버스번호, 거리표지판, 간판의 확인과 같은 원거리 작업에는 망원경이 필요하며 주로 3m 이상 작업거리가 필요한 때에 처방된다. 망원경의 분류는 방식에 따라 케플러와 갈릴레이망원경, 사용방법에 따라 손에 드는 망원경과 안경형으로 구분하고 한눈형과 두눈형으로 분류할 수도 있다.

① 케플러망원경

케플러망원경은 두개의 볼록렌즈를 사용하여 사물을 확대하는 원리로 큰 확대율을 얻을 수 있고 시야가 넓은 장점이 있으나 상이 뒤집혀 보여 상을 바로 보이게 하기 위해 거울이나 프리즘을 이용하여야 하므로 망원경의 경통이 길어지게 되는 단점이 있다(그림 4-14, 그림 4-15).

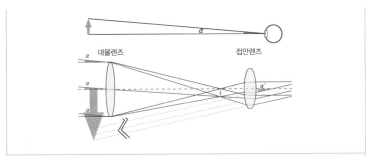

그림 4-14. **케플러망원경의 원리. 두개의 볼록렌즈를 이용하여 상을 확대하여 도립실상을 얻는다.**

그림 4-15. **여러 가지 형태의 케플러망원경**

② 갈릴레이망원경

갈릴레이망원경은 접안렌즈로 오목렌즈를 사용한다(그림 4-16). 장점은 경통의 길이가 짧게 제작이 가능하나 확대비율이 케플러망원경에 비해 낮다.

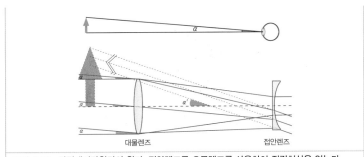

그림 4-16. **갈릴레이망원경의 원리. 접안렌즈를 오목렌즈를 사용하여 직립허상을 얻는다.**

그림 4-17. **갈릴레이망원경** A) 클립형, B) 안경형

표 4-2. **갈릴레이망원경과 케플러망원경의 비교**

	갈릴레이망원경	케플러망원경
렌즈의 구성	접안렌즈: 오목렌즈 대물렌즈: 볼록렌즈	접안렌즈: 볼록렌즈 대물렌즈: 볼록렌즈
상	직립허상	도립실상
망원경의 길이와 무게	짧다→가볍다	길다→무겁다
확대	4~6배	20배까지
사출동공 위치와 시야	내부→좁다	외부→넓다
빛투과도	높다	낮다
상의 질	좋다	매우 좋다
굴절이상과 확대효과	근시: 확대감소 원시: 확대증가	근시: 확대증가 원시: 확대감소

환자에게 망원경을 쓰면 시야가 좁아지고, 운동시차(motion parallax) 때문에 혼란을 느낄 수 있음을 알려줘야 한다.

또한 망원경은 사용방법에 따라 손에 쥐는 망원경과 안경형 망원경으로 나눌 수 있다 (그림 4-18).

그림 4-18. **망원경의 종류** A) 손에 쥐는 망원경, B) 안경형망원경

① 손에 쥐는 망원경

이는 10배까지는 좁기는 하지만 물체를 바라 볼 수 있는 시야를 유지할 수 있다. 정점거리(vertex distance)가 짧을수록(망원경을 눈에 가까이 댈 수록), 시야가 더 넓어짐을 알려주어야 한다. 역시 확대율이 클수록 시야는 좁아진다. 장점은 손에 쥘 수가 있어 유동성에는 문제가 없고 목에 매달면 이동하면서 사용하기에 더욱 편할 수 있다. 손에 쥐는 망원경의 단점은 사용하는 동안 한 손을 쓸 수 없다. 또 사용하기 위해 주머니나 지갑에서 꺼내야만 한다. 이런 이유로 지속적으로 쓰기에는 불편하다. 따라서 양손을 쓰는 일을 한다면, 안경형의 양안망원경을 처방할 수 있다.

② 안경형망원경

안경운반렌즈(spectacle carrier lens)에 박힌 망원경이다. 이런 형태의 망원경이 양손을 이용할 수 있게 하지만 크기가 작아지는 만큼 시야가 많이 줄어들기 때문에 더 넓은 시야가 필요하다면, 더 큰 직경의 망원경을 만들어서 안경운반렌즈에 끼울 수 있다. 그러면 적당한 확대, 작업거리, 시야는 유지되나 환자의 움직임은 무거워져 부자유스러워진다.

확대, 넓은 시야, 적절한 작업거리, 이동성 등을 충족시키기 위해서 클립형망원경을 기존의 안경에 끼워서 사용할 수 있다. 걸을 때는 클립을 제거하거나 망원경을 위로 올려서 양손을 자유롭게 사용할 수 있다. 전시야망원경을 사용하는 환자들에게 유익하다. 하지만 렌즈를 크게 했을 때는 정점거리가 보다 길어지므로 손에 쥐는 망원경보다 시야가 좁고 파손되기 쉽다(그림 4-19).

그림 4-19. **여러 가지 단안망원경(monocular telescope)**

이런 모든 점들을 고려한 후 에 더 넓은 시야가 요구되면, 양안경(binoculars)을 적용시킬 수 있다. 이들은 더 넓은 시야와 보다 나은 집광능력을 가지고 있다. 만일 양손을 사용해야 하거나 이것을 들고 있을 때 쉽게 지친다면 삼각대 등을 이용할

수 있다(그림 4-20). 또한 클립형 또는 안경형 등 다양한 형태의 제품이 있어 환자의 필요에 따라 선택할 수 있 (그림 4-21). 바이옵틱망원경은 망원경의 위치가 상단 끝에 위치하여 멀리 보고자 할 때 망원경을 사용하고 일반적인 활동시에는 하단부의 일반렌즈를 사용하는 형식이다(그림 4-22).

망원경 처방시 손에 쥐는 망원경은 10배, 이중초점렌즈는 6배, 양안경은 18배까지 가능하다.

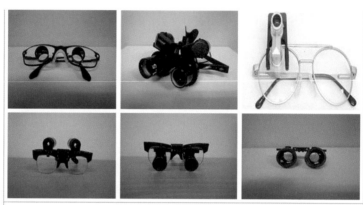

그림 4-20. **여러 가지 양안망원경**(binocular telescope)

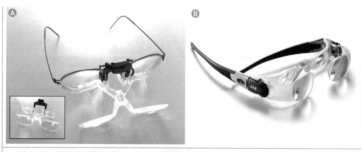

그림 4-21. **양안 안경형 망원경,** A) 클립형 B) 안경형

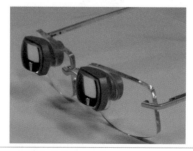

그림 4-22. **바이옵틱 망원경**(bioptic telescope)

망원경의 처방 방법

1. 목표 배율을 정한다.
   A. 예 : 목표시력이 0.5(20/40)이고 최대교정시력이 0.1(20/200)이면, 필요한 망원경 확대율은 200/40 = 5이므로 5배이다.

2. 적절한 형태의 망원경을 선택한다.
   A. 갈리레이 vs 케플러

3. 손잡이식 vs 안경형 또는 클립형

4. 종합

   각 확대경마다 장단점이 있으므로 환자의 필요에 따라 적절히 사용하는 것이 중요하며 광학기구를 사용하는 중에 발생하는 문제점들을 원인을 파악하여 적절한 조치를 취하는 것이 중요하다

표 4-3. 광학기구에서 쉽게 발생하는 문제점과 해결 방안

발생하는 문제	안경형	손잡이형	원거리용	스탠드식	망원경
정렬이 안됨	시축을 잘 조정함				
초점이 맞지 않음	물체와 렌즈 사이의 거리를 조절	물체와 확대경 사이의 거리를 조절	물체와 확대경 사이의 거리를 조절	물체와 확대경 사이의 거리를 조절	물체와 망원경 사이의 거리를 조절 근거리용은 리딩캡을 사용
불충분한 확대율	대상을 크게 함	대상을 크게 하거나 배율을 높임	대상에서 확대경에서 떨어뜨림 대상을 크게 함	확대경에 눈을 더 가까이 감	물체에 가까이 가거나 배율을 높임
불충분한 조명	렌즈와 대상사이에 조명을 사용	조명식 손잡이형을 사용	조명식을 사용	조명이 달린 제품 사용	대상에 조명을 비춤
눈이 쉽게 피로함	렌즈와 대상거리를 조절함	렌즈와 대상거리를 조절함	거의 발생하지 않음	근거리안경을 같이 사용	초점을 조절
울렁거림 (motion sickness)	움직임을 최소화함	눈에서 확대경을 떨어뜨림	거의 발생하지 않음	눈에서 멀리 사용함	망원경을 흔들리지 않게 하고 오래 사용하지 않음.

표 4-4. **각 기구의 특성**

기구	필요로 하는 확대율	시야	작업 거리	유동성	종류
현미경 microscope	+8 D ~ +48 D. 더블릿렌즈: +32 D ~ +80 D	전시야현미경은 확대율에 비해 최대의 시야를 제공. 프리즘반안경 또는 이중초점안경은 시야의 감소를 가져오기는 하나 움직임이 더 쉬움	가장 짧음 (2~20cm)	제한된 유동성. 프리즘반안경이나 이중초점렌즈는 유동성은 용이하지만 시야가 좁은 단점	전시야현미경 이중초점안경 프리즘반안경 루페 · 근시 근거리 교정 콘택트렌즈 안경렌즈
확대경 magnifier	손잡이확대경 : 주로 3배~10배가 많이 사용됨 6 배 이상 (즉 +20 D이상)되면 스탠드나 포켓형을 사용	현미경의 넓은 시야와 망원현미경의 좁은 시야를 절충. 환자 자신에게 편안하도록 작업거리를 어느 정도 조절할 수 있음	좀 더 용이한 작업거리와 시야를 제공함. 그러나 8배를 넘는 경우 이런 장점들이 없어짐	휴대가 용이하고 유동성에 제한을 받지 않음. 일반적으로 사용하기에 편함(단 스탠드형은 조명이 달린 경우 전원이 크기 때문에 휴대성이 떨어짐)	손잡이확대경 스탠드확대경 집광확대경 막대확대경 (2배정도로써 책의 한 줄을 모두 볼 수 있으므로 어린이나 노인에 적합하다.)
망원현미경 telemicroscope	+32 D(8.8배)까지. 확대율을 높이기 위해 리딩캡과 함께 양안으로 사용가능	다른 기구에 비해 동일한 확대율에서 가장 좁은 시야를 가짐	가장 긴 작업거리를 가짐.	시야가 좁아 유동성에 제한을 받음	· 독서용현미경 · 바이옵틱 망원현미경 · 양안 망원현미경 · 손잡이망원현미경 · 클립식
망원경 telescope	손에 쥐는 단안망원경은 10배까지 많이 쓰임. 양안망원경은 6배까지 가능. 10배 이상이 되면 단안형을 고려할 것.	갈릴레이식이 케플러식보다 넓은 시야를 가짐	원거리용 기구	넓은 시야를 갖게 하려면 유동성이 떨어짐. 양안형은 시야가 좁으나 여행, 움직임, 운전까지도 가능.	· 손잡이현미경 안경형 · 클립형 · 바이옵틱망원경 · 전시야망원경
전자확대기구 electro-optical	3배 ~ 64배	고배율에서도 좀 더 편안한 작업거리가 유지 가능(탁상형일 경우 작업거리는 고정됨)	안정적이고 독서속도를 향상시킬 수 있음	휴대성이 떨어지나 최근에는 휴대용으로도 많이 개발됨	· 확대독서기 · 휴대용 전자확대기 · 태블릿컴퓨터 · 확대프로그램

제 **5** 장

전자보조기구

최근 빠르게 발전하고 있는 분야로, 저시력인을 위한 컴퓨터 프로그램도 다양하게 만들어지고 있고 실제로 휴대용 보조기구들이 많이 사용되고 있다. Haji 등[1]은 iPad® (Apple Inc., Cupertino, CA, USA)와 같이 일상에서 쉽게 접할 수 있는 휴대기기에 영상 확대, 대비감도 및 밝기 조절이 가능한 프로그램을 설치하여 확대기구로 유용하게 사용할 수 있다고 했으며, Hakobyan 등[2]은 휴대폰을 포함한 이동통신 기기의 발전이 저시력 환자들을 포괄적으로 도와줄 수 있으며 앞으로 더 높은 비중을 차지하게 될 것이라고 하였다.

1. 확대독서기 (closed circuit television, CCTV)

CCTV란 용어는 일반적인 의미와 달리 저시력 진료에서는 확대독서기란 의미로 사용된다. 카메라에서 상을 얻은 다음 컴퓨터를 이용하여 확대하거나 변환하여 모니터에서 글자나 그림을 볼 수 있다. 크기 확대는 물론 상의 반전, 색변환 등 여러 가지 형태로 대비증강이 가능하다. 일반적인 광학도구로 도움이 안되는 경우나 대비가 매우 낮은 경우에 처방한다. 탁상형의 경우 입체적 물체의 판독에는 한계가 있다. 64배의 배율까지 확대가 가능하며 다양한 초점 거리가 가능하고 카메라, 조명기구, 모니터로 구성된다(그림 5-1).

그림 5-1. **여러 가지 종류의 확대독서기**

표 5-1. 확대독서기의 교육계획

1. 확대독서기 셋팅
2. 읽기
3. 쓰기
4. 위치파악 (localization)
5. 훑어보기와 연속으로 읽어나가기 (Skimming and scanning)
6. 피부, 손톱 등의 입체적인 사물 파악하기

2. 문자음성 전환기

문자나 그림 등을 광학적으로 인지하는 스캐너와 활자체를 음성으로 전환시킬 수 있는 음성전환 프로그램이 장착된 컴퓨터나 전화기 등이 있다(그림 5-2).

그림 5-2. **음성전환기능을 가진 확대독서기**

3. 휴대용 음성독서기

시각장애인을 위한 데이지 파일이나 컴퓨터 문서를 편리하게 읽을 수 있는 기기이다(그림 5-3). 데이지(DAISY)는 digital accessible information system 의 약자로 시각장애인과 독서장애인을 위해 아날로그 방식의 음성도서를 시각장애를 가지고 있는 사람을 위해 디지털파일로 변환시킨 것이다. 단순한 오

디오북과의 다른 점은 북마크가 가능하고, 원하는 장, 절의 검색이 가능하고 음성속도변화에도 음성변화가 거의 없다는 장점이 있다. 데이지파일은 국립 장애인도서관(http://nlid.nl.go.kr/)이나 지자체의 시각장애인도서관 등에서 다운로드 받을 수 있다.

그림 5-3. 데이지파일을 사용할 수 있는 휴대용 음성독서기

4. 휴대용 전자확대기

휴대가 간편해 최근 많이 사용되고 있다. 과거에는 4.2인치와 같은 작은 크기가 보급되었으나 최근 들어 큰 화면(7인치 이상)을 제공하는 휴대용전자확대기도 보급되고 있다(그림 5-4). 다양한 대비강화모드가 있어 편리하게 사용할 수 있으며 배율 조절도 쉽게 가능하다(그림 5-5). 배터리의 수명이 길고 가벼운 기구를 선택하는 것이 중요하다.

그림 5-4. 다양한 크기의 휴대용 전자확대기

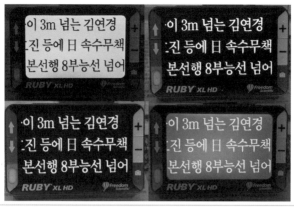

그림 5-5. 휴대용 전자확대기의 다양한 대비강화모드

5. 컴퓨터용 프로그램

컴퓨터가 업무나 개인여가생활의 많은 부분을 차지하면서 컴퓨터 사용은 저시력인들에게 중요한 요소이다. 기본적으로 저시력인이 컴퓨터를 원활하게 사용하기 위해서는 21인치 이상의 모니터가 좋고 높낮이와 기울기가 조절되는 것이 좋다. 데스크탑 컴퓨터와 노트북컴퓨터 모두 헤드폰 사용이 쉬우며 스피커 사용이 필수적이므로 준비되어 있어야 한다.

시력저하가 심하지 않은 경우에는 커서의 크기를 크게 하고 기본 글자크기를 두 배로 설정하고 각 운영체제에서 제공하는 기본 확대프로그램만으로도 충분하다. 하지만 시력저하가 심한 경우(0.2미만)에는 별도의 확대프로그램을 사용하는 것이 도움이 된다. 또한 점자변환 소프트웨어나 화면 읽기 프로그램을 사용하는 것이 도움이 된다.

윈도우와 맥킨토시를 포함한 대표적인 운영체제에서는 저시력인을 위한 기본적인 프로그램들이 탑재되어 있다.

1) 마이크로소프트 윈도우 (Microsoft Windows)

자체적으로 확대프로그램인 돋보기를 제공하여 편리하게 사용할 수 있도록 제공하고 있다(그림 5-6).

그림 5-6. **마이크로소프트사의 돈보기프로그램**

그 외에도 제어판〉접근성〉접근성 센터에 들어가면 고대비 테마를 선택할
수 있고 텍스트 읽기, 커서크기등의 조정이 가능하다(그림 5-7).

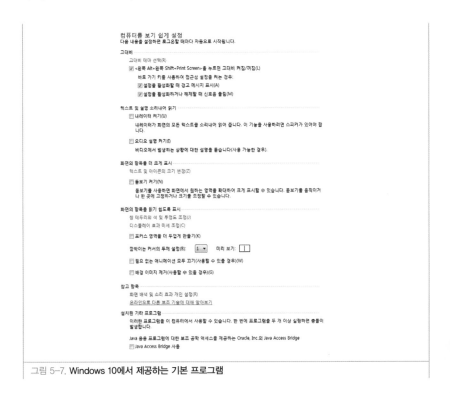

그림 5-7. **Windows 10에서 제공하는 기본 프로그램**

임상저시력

2) 맥킨토시 운영체제

맥킨토시는 저시력인을 위한 다양한 프로그램을 제공한다(그림 5-8).

① VocieOver
기본적으로 탑재된 화면 읽기 기능 프로그램으로 작업하고 있는 대부분의 정보를 음성으로 전달하고 제스처, 키보드, 점자표시기를 통해 활용할 수 있도록 돕고 있다.

② 확대/축소
화면을 20배까지 더 자세히 볼 수 있는 내장형 돋보기를 제공한다.

③ 받아쓰기 기능
타이핑을 말로 대신하게 해주는 기능이다. 음성만으로도 웹을 검색하고, 이메일을 작성하거나 문서 작성이 가능하다

④ 색상반전
저시력 환자를 위해 색상반전이 가능하다.

⑤ 커서 크기
커서의 크기 변화가 가능하다

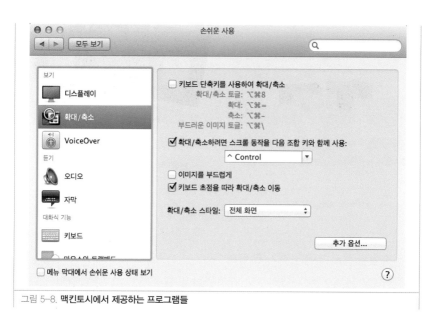

그림 5-8. 맥킨토시에서 제공하는 프로그램들

3) 확대프로그램

개인용 컴퓨터에서 활용할 수 있는 확대프로그램들이 있다(그림 5-9).

그림 5-9. **확대프로그램**

4) 컴퓨터용 화면읽기 프로그램

컴퓨터 모니터상의 텍스트나 그래픽 정보를 시각장애인이 인지할 수 있는 음성 및 점자의 형태로 바꾸어 줌으로써 컴퓨터 사용을 돕는 프로그램이다 (그림 5-10).

그림 5-10. **컴퓨터용 화면읽기 프로그램**

5) 점자변환 프로그램과 점자 프린터

한글소프트웨어는 자체적으로 점자변환을 제공하고 그 외 다양한 소프트 웨어들이 개발되어 있다(그림 5-11). 이러한 소프트웨어를 이용하여 텍스트를 점자로 변환시킨 후 점자프린터를 이용하여 출력하면 점자를 사용할 수 있게 된다(그림 5–12).

그림 5–11. 한글에서 제공하는 점자변환 도구

그림 5–12. **점자프린터.** 점자변환 프로그램을 이용하여 변환환 점자를 출력하는 기기

6) 기타 유용한 도구들

컴퓨터를 사용할 때 큰 활자를 가진 키보드를 사용하는 것이 도움이 된다(그림 5–13).

그림 5–13. **큰 활자 키보드**

6. 태블릿컴퓨터

태블릿컴퓨터에는 자체적으로 확대기능을 갖고 있어 독서에 용이하다(그림 5-14).

그림 5-14. **태블릿컴퓨터를 이용한 확대**

7. 스마트폰 어플리케이션을 이용한 확대독서기

스마트폰에 설치해서 사용할 수 있는 다양한 어플리케이션들이 있으며, 스마트폰이 대중화 되면서 추가적인 장비의 구입 없이도 확대독서기의 기능을 사용할 수 있다(그림 5-15).

그림 5-15. **스마트폰 어플리케이션을 이용한 확대독서기. 좌측은 일반모드이고 우측은 대조강화모드이다.**

최근에는 저시력인을 위해 스마트폰 어플리케이션을 잘 활용할 수 있도록 스마트폰 거치대도 개발되었다(그림 5-16).

그림 5-16. **스마트폰용 어플리케이션을 손쉽게 이용할 수 있도록 고안된 거치대**

8. 점자, 음성변환용 코드

최근 장애인차별금지법의 근거로 정당한 편의제공 수단을 제공하기 위하여 점자, 음성변환용 코드가 관공서, 처방전, 세금고지서 등에 표시되고 있다. 이를 스마트폰의 어플리케이션을 통해 인식하면 점자 또는 음성으로 변환하여 정보를 제공한다(그림 5-17). 또한 이미지로 변환이 가능하여 스캔만으로도 자료를 출력할 수 있다(그림 5-18).

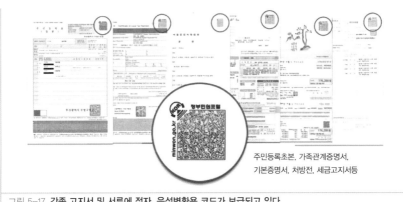

주민등록초본, 가족관계증명서,
기본증명서, 처방전, 세금고지서등

그림 5-17. **각종 고지서 및 서류에 점자, 음성변환용 코드가 보급되고 있다**

기존 바코드

변경 바코드

스마트폰으로 인식 불가능한 크기였던
기존의 바코드를 3개로 분할

스마트폰으로 3개의 바코드 인식 후,
각각의 데이터 검증을 걸쳐
스마트폰 화면에 원본 이미지 출력

스마트폰에 출력된 문서의 이미지를 확대,
이동하여 인쇄물 원본과 대조 가능

그림 5-18. 저시력인을 위한 모바일용 스캔코드

전자보조기구의 종류

1. 확대독서기(closed circuit television, CCTV)
2. 문자음성 전환기
3. 휴대용 전자확대기
4. 컴퓨터용 확대프로그램
5. 태블릿컴퓨터
6. 스마트폰 어플리케이션

9. 전자시력강화기구(electronic visual enhancement system)

최근 전자기술의 발전으로 기존의 안경형확대경, 확대독서기 또는 휴대용 전자확대기를 대체할 여러 전자보조기구들이 고안되었다. 그 중 하나가 근거리와 원거리를 동시에 확대할 수 있는 전자보조기구들이 개발되었으며 이러한 형태를 크게 전자시력강화기구라고 부른다(그림 5-19). 전자시력강화기구는 카메라를 통해 영상을 획득하여 확대영상을 눈으로 전달하는 방식이다.

그림 5-19. **전자시력강화기구**

10. 결론

전자보조기구는 시력저하가 심한 저시력인에게 유용한 보조기구이고 최근 전자기술의 발달로 다양한 형태의 기구들이 개발되고 있다. 하지만 전자보조기구가 광학기구를 완전히 대체하기에는 한계가 있으며 비용 또한 광학기구보다 비싸기 때문에 저시력인에게 광학기구와 전자보조기구를 다양하게 접목시켜 저시력인들이 원하는 바에 가장 최적화된 기구를 처방하는 것이 중요하다.

표 5-2. Cochrane 리뷰에서 발표한 전자보조기구의 효용성에 대한 연구.[3]

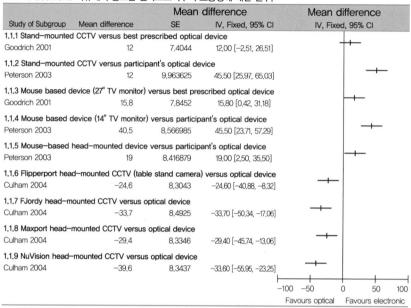

Study of Subgroup	Mean difference	SE	Mean difference IV, Fixed, 95% CI	Mean difference IV, Fixed, 95% CI
1.1.1 Stand-mounted CCTV versus best prescribed optical device				
Goodrich 2001	12	7.4044	12.00 [-2.51, 26.51]	
1.1.2 Stand-mounted CCTV versus participant's optical device				
Peterson 2003	12	9.963625	45.50 [25.97, 65.03]	
1.1.3 Mouse based device (27" TV monitor) versus best prescribed optical device				
Goodrich 2001	15.8	7.8452	15.80 [0.42, 31.18]	
1.1.4 Mouse based device (14" TV monitor) versus participant's optical device				
Peterson 2003	40.5	8.566985	45.50 [23.71, 57.29]	
1.1.5 Mouse-based head-mounted device versus participant's optical device				
Peterson 2003	19	8.416879	19.00 [2.50, 35.50]	
1.1.6 Flipperport head-mounted CCTV (table stand camera) versus optical device				
Culham 2004	-24.6	8.3043	-24.60 [-40.88, -8.32]	
1.1.7 FJordy head-mounted CCTV versus optical device				
Culham 2004	-33.7	8.4925	-33.70 [-50.34, -17.06]	
1.1.8 Maxport head-mounted CCTV versus optical device				
Culham 2004	-29.4	8.3346	-29.40 [-45.74, -13.06]	
1.1.9 NuVision head-mounted CCTV versus optical device				
Culham 2004	-39.6	8.3437	-33.60 [-55.95, -23.25]	

-100 -50 0 50 100
Favours optical   Favours electronic

읽기 속도에 대한 여러 비교 논문들로 일부 연구에서는 전자보조기구가 광학기구보다 도움이 되지만 일부연구는 기존의 광학기구보다 전자보조기구가 효과가 좋지 않은 것을 알 수 있다(표 5-2).

광학기구의 처방에 있어서 고려해야 할 점

- 사용의 편리성(작업거리, 읽을 수 있는 속도, 읽을 수 있는 시간)
- 자유로운 두 손 사용의 여부
- 대비감도의 고려
- 조명지원 여부
- 무게
- 미용적인 요소
- 비용

참고문헌

01. Haji SA, Sambhav K, Grover S, et al. Evaluation of the iPad as a low vision aid for improving reading ability. *Clin Ophthalmol* 2015;9:17–20.

02. Hakobyan L, Lumsden J, O'Sullivan D, et al. Mobile assistive technologies for the visually impaired. *Surv Ophthalmol* 2013;58:513–28.

03. Virgili G, Acosta R, Grover LL, et al. Reading aids for adults with low vision. *Cochrane Database Syst Rev* 2013 Oct 23;(10):CD003303.

제 **6** 장

비광학기구

    광학기구나 전자보조기구와 같은 도구의 사용과 더불어 가장 기본이 되는 것은 조명이나 독서대와 같은 비광학기구를 이용하여 저시력인의 일상생활에 도움을 주는 것이다.

1. 조명

    정상 성인의 경우 신문 정도의 활자를 읽기 위해서는 540룩스 정도의 조명이 필요하다.[1] 하지만 일반적으로 실내조명은 이에 미치지 못하고 특히나 저시력환자에게는 큰 영향을 미치게 된다. 나이가 들면서 빛이 망막에 전달되는 정도가 줄어드는데 대략 60대는 수정체가 빛의 약 20%만 투과시키고 백내장이 있는 경우에는 2%까지 줄어들게 된다. 한 연구에서는 황반변성 환자에게서는 약 6000룩스의 조명이 글읽기에 필요하다고 하여 저시력환자에게 있어서 빛의 투과가 줄어 들면 일상생활에 일반인보다 더 심한 장애를 가져오게 된다.[2,3] 대비감도가 저하된 환자에게는 적절한 조명이 많은 도움을 준다.

표 6-1. **저시력질환별 빛의 민감도와 조명조건**

질환	빛에 대한 민감도	조명조건
백내장	민감	매우 밝음
당뇨망막병증	중간	중간밝기
녹내장	중간	중간밝기
황반병증	민감	밝음
망막색소변성	민감	중간 - 밝음

    책을 읽을 때 조명이 부착된 광학기구는 매우 효과적이다. 간접조명으로는 목이 쉽게 구부러지고 밝기 조절이 가능한 제품이 좋다. 하지만 저시력 환자들은 빛에 대한 암순응과 명순응이 느리므로 과다한 조명은 역효과를 가져올

수 있다. 예를 들어 햇빛은 자연스럽고, 비용도 들지 않지만, 명도가 과다하고 조절하기가 어렵다는 단점이 있다. 특히 빛이 갑자기 밝아진다면 적응은 더욱 어렵다. 실내에 있다면 방에 설치된 커튼 등은 효율적인 빛 조절을 돕는다. 눈부심이 심하다면 일반적인 불빛이나 파란색 불빛 보다는 산란이 적은 노란색 계통의 불빛이 추천된다. 각 광원의 특성에 따른 비교는 표 6-2와 같다.

표 6-2. **광원의 특성비교**

광원	장점	단점
태양광	· 가장 자연스러움 · 대부분의 일상 업무 가능 · 자연스러운 색상	· 눈부심 유발 · 그림자 발생 · 지속적이지 못함
LED	· 오래감 · 전기료절감 · 이동형의 경우 이동 가능	· 비교적 비쌈 · 밝기 조절이 어려움 · 푸른색의 경우 눈부심이 상대적으로 심함
콤팩트형 광전구 (삼파장 전구)	· 저렴함 · 백열전구와 유사 · 다양한 전력이 가능 · 노란색의 경우 눈부심이 상대적으로 적음	· 그림자 발생
백열전구	· 빛이 집중됨 · 근거리 집중 조명에 좋음 · 형광등과 같은 깜빡임이 없음	· 눈부심이 심한 경향이 있음
형광등	· 실내조명으로 좋음 · 백열전구보다 더 넓은 범위가 가능 · 그림자 발생이 적음	· 눈부심이 심한 경향이 있음
할로겐	· 백열전구보다 밝음 · 전력소모가 적음 · 깜빡임이 없음 · 집중조명에 좋음	· 발열이 심함(가까이 사용하면 화상의 위험) · 빛의 집중이 심함 · 장기간의 근거리 작업에 좋지 않음 · 비쌈

조명 환경

1. 전체적인 밝은 조명과 탁상등을 사용한다.
2. 조명은 눈부심을 줄이기 위해 측면에서 비추도록 놓는다.
3. 조명은 글을 쓸 때 그림자가 생기는 것을 방지하기 위해 쓰는 손의 반대편에 놓는다.
4. 눈부심을 줄이기 위해 전등갓을 설치하는 것이 좋다.
5. 눈부심을 줄이기 위해 반사가 심한 책은 피한다
6. 복도나 계단에 적절한 조명을 설치한다.
7. 실내조명은 실내에 고루 비치도록 설치한다

2. 특수렌즈

저시력 환자들의 눈부심을 줄이고 남아 있는 시기능을 최대한 활용하고자 하는 목적에서 다양한 착색렌즈가 이용되고 있다. 일반적으로 나이가 듦에 따라 빛 번짐 현상에 대해 예민해지지만, 저시력 환자들은 그들이 가지고 있는 황반변성, 백내장, 각막혼탁, 망막변성 등으로 인해 빛 번짐으로 인한 시기능 장애에 더 취약하기 마련이다. 자동차 헤드라이트, 물이나 눈에서 반사되어 생기는 빛번짐이 안정피로를 유발하고 심한 불편을 유발시킬 수 있다. 따라서 저시력 환자들에서는 빛번짐 현상을 줄여주면 시기능이 향상된다. 이를 위해 다음과 같은 방법들이 사용되고 있다.

① 자외선 코팅렌즈

자외선은 파장에 따라 UVA, UVB, UVC로 나뉘는데, 그 중 UVC는 대기권에서 흡수가 되므로 우리 눈에 직접 영향을 미치게 되는 자외선은 주로 320~400nm 파장을 갖는 UVA와 290~320nm 파장을 갖는 UVB이다. 이들은 우리 눈에 직접 보이지는 않지만 특히 백내장과 나이 관련 황반변성의 발생 및 진행을 악화시키는 것으로 보고 되고 있다. 백내장 수술 후 무수정체안은 물론 인공수정체가 삽입되어 있는 눈에서도 원래의 수정체가 흡수하는 만큼의 자외선을 차단하지 못하는 것으로 알려져 있어, 백내장 수술을 한 저시력 환자, 특히 나이관련황반변성 혹은 망막색소변성을 동반한 저시력 환자들은 자외선 코팅안경을 착용하는 것이 바람직하다.

② 반사차단코팅렌즈(anti-reflective coating)

렌즈의 전면 및 후면에 3~6층 정도로 구성되는 몇 겹의 금속산화물로 코팅 처리함으로써 렌즈 전·후면에서 반사되는 빛의 양을 줄이고 렌즈를 통과하는 빛의 투과량을 늘린 렌즈이다. 저시력 환자들에게 있어서는, 반사를 차단시켜 빛번짐 현상으로 인한 안정피로를 줄여주는 동시에 망막으로 전달되는 빛의 양을 99.9%까지 증가시켜 줌으로써, 백내장이나 녹내장이 동반되어 있거나 강한 빛을 요하는 저시력 환자들에게 특히 도움이 된다.

③ 착색렌즈 및 변색렌즈(tinted lenses and photochromic lenses)

착색렌즈는 자외선이나 적외선과 같은 유해한 광선으로부터 보호하고 눈 안에서 산란되면서 빛번짐이나 눈부심을 일으키는 주된 요인이라고 알려진 단파장의 청색 빛을 흡수하는 데에 유용하다(그림 6-1). 변색렌즈는 자외선의 유무에 따라 색이 변하는 렌즈로 자외선이 있는 실외에서는 진하게 변하고 실내에서는 옅게 변하는 렌즈를 말한다(그림 6-2).

그림 6-1. **고글형과 클립형착색렌즈**

그림 6-2. **변색렌즈**

착색렌즈의 시기능에 미치는 영향에 대해서는 시력, 대비감도, 색각, 암순응에 대한 객관적 평가를 통하여 이루어져야 한다. 환자들은 착색렌즈 착용 후 눈부심이 감소하였거나 주관적인 시력이 향상되었거나 이동능력이 향상될 수 있다. 특히 짙은 농도를 갖는, 예를 들어 빛 투과력이 작은 착색렌즈를 착용하였을 때에는 색감

인지에 방해를 줄 수 있으므로, 착색렌즈를 착용한 상태에서 색깔을 알아맞춰 보
게 한다거나 색각검사를 시행하여 색감 인지에 미친 영향을 고려하여 처방한다.
마지막으로, 환자들에게 충분한 시간 동안 착색렌즈를 착용한 상태로 실내 및 실
외 활동을 해보도록 하는 것으로 어떤 렌즈가 어떤 환경에서 실제로 도움이 되는
지를 경험하도록 한 후 신중히 처방을 해야 한다.

환자의 색감을 방해하지 않는 범위에서 시력 및 대비 감도를 향상시키는 색과 농
도를 찾는 것이 중요하다. 예를 들어 일반적으로 많이 사용되는 황색이나 호박색
계열의 착색렌즈는 짧은 파장의 청색광을 흡수함으로써 대비 감도를 높이며, 녹색
이나 회색 계열의 착색렌즈는 색감에 대한 영향이 비교적 적다(그림 6-3).

2153 100%자외선보호, 빛투
과율 32%, 백내장, 라식

4436 100%자외선보호, 빛투
과율 26%, 눈부심방지

4438 100%자외선보호, 빛투
과율 26%, 눈부심방지

4451 100%자외선보호, 빛투
과율 26%, 눈부심방지

4236 100%자외선보호, 빛투
과율 21%, 눈부심방지

8138 100%자외선보호, 빛투
과율 20%, 당뇨성망막증

4038 100%자외선보호, 빛투
과율 16%, 백내장, 라식

4053 100%자외선보호, 빛투
과율 16%, 백내장, 라식

2236 100%자외선보호, 빛투
과율 13%, 백내장, 라식

2251 100%자외선보호, 빛투
과율 13%, 백내장, 라식

0138 100%자외선,적외선보
호, 빛투과율 10%, 망막색소
변성

0153 100%자외선,적외선보
호, 빛투과율 10%, 망막색소
변성

그림 6-3. **다양한 종류의 착색렌즈**

a. 추체이영양증 : 적색 혹은 오렌지색 계열을 사용하는 것이 눈부심을 줄이고
시기능을 증진시킨다

b. 백색증 : 홍채 및 망막의 멜라닌 색소가 부족하여 빛의 흡수가 적어 안구 내
빛 산란이 두드러지므로 짙은 농도의 호박색 렌즈를 사용하여 들어오는 빛의
강도를 차단하고 눈부심을 줄이는 것이 도움이 된다.

c. 망막색소변성 : 대부분의 환자들은 실외활동 중 착색렌즈를 착용하였을 때 시
기능이 개선될 수 있으며, 짙은 호박색 렌즈가 도움이 된다.

d. 퇴행성망막질환[4] : 붉은색 계열이 시기능과 실외활동을 개선시킨다.

<증례> 6세 남아

주호소) 어릴 때부터 눈부심이 심해 일상생활에 어려움을 겪고 있다. 시력변화는 크게 관찰되지 않았다.

평가과정)
1) 교정시력
   우안 0.1 −1.50 Dsph : −2.0 Dcyl 180
   좌안 0.2 −2.00 Dsph : −1.50 Dcyl 175
2) 안과검사
   세극등현미경검사와 안저검사에서 이상소견을 보이지 않았으나 망막전위도 검사에서 간체기능은 정상이었으나 추체기능은 측정되지 않았다. 안저검사상 이상소견이 없었으며 추체기능저하가 관찰되어 전색맹(Rod monochromatism)으로 진단하였다.

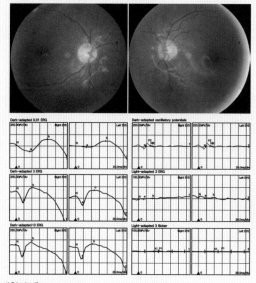

저시력재활과정)
1) 원거리안경을 굴절검사를 통해 처방하였다.
2) 근거리작업은 조절력이 양호하여 확대경의 도움 없이 가깝게 보는 것으로 가능하였다.
3) 야외생활의 경우 적색/호박색 착색렌즈를 사용하도록 처방하였다.
4) 실내조명은 보존된 간체기능을 사용하고자 다소 어둡게 할 것을 권유하였다.

3. 자세 보조 기구 (독서대)

저시력 보조기구는 편안해야 한다. 초점거리의 유지, 시선의 방향과 머리나 등의 각도, 몸의 자세 등이 효율과 편안함을 결정한다. 작업거리란 물체와 안경면과의 거리인데, 대부분의 저시력 보조기구들은 일정한 작업거리를 필요로 하고, 이때 머리위치와 시선도 중요하다. 거리확대를 이용하면 작업거리가 감소하고, 광학적 보조기구의 배율이 높아질수록 짧아진 작업거리를 유지하는 것이 힘들어지는 단점이 있다. 특히 관절염이 있거나 근육이 약한 노인환자는 피로를 더 빨리 느낀다. 자세가 흐트러지기 쉽고 이에 따라 기구 활용도가 오히려 떨어질 수 있다. 자세 교정을 통해 저시력 보조기구들의 활용도를 높일 수 있다. 또한 사람마다 책, 잡지, 신문을 드는 법이 다른데, 시선이 독서 면에 수직이 되도록 해야 상의 왜곡이 줄어든다. 읽는 대상이 아래 방향으로 기울어지고 수직에서 멀어지면 상은 더욱 왜곡된다. 정상적이고 편안한 시선은 인쇄면에 수직인 시선이며 테이블 위에 45도로 놓인 상태다. 독서대만으로도 허리를 굽히지 않아도 되고 허리통증을 줄일 수 있다(그림 6-4, 그림 6-5).

그림 6-4. **독서대와 굵은펜의 활용**

그림 6-5. **작업에 필요한 조명과 독서대**

4. 대비강화경(Typoscope)

대비강화경은 비광학기구 중 기본이 되는 도구이다(그림 6-6). 대비감도를 향상시켜 간편하면서도 읽기 및 쓰기 능력을 향상시키는데 큰 도움을 주고 비용도 저렴하다.

그림 6-6. **대비강화경 사용 전후 비교**

5. 보행훈련

1) 흰지팡이를 이용하여 단독보행시

저시력인을 위한 지팡이는 크게 두 가지로 나눌 수 있으며 지지를 위한 지팡이와 보행을 위한 흰지팡이가 있다(그림 6-7). 지지를 위한 지팡이는 짧고

튼튼하며 끝이 미끄러지지 않는 것이 좋으나 흰지팡이는 가볍고 장애물이나 계단을 인지할 수 있도록 충분히 길고 끝은 바닥을 잘 탐지할 수 있도록 잘 미끄러지는 형태가 좋다.

시력이 0.3 미만이거나 시야가 10도 이내로 좁아진 경우 보행하는데 있어서 불안감을 느낄 수 있으므로 흰지팡이를 사용하는 것이 좋다. 흰지팡이를 사용하면 도로의 형태를 파악하고 장애물 및 계단을 사전에 인지할 수 있어 보행에 도움이 된다.

그림 6-7. A) 지지를 위한 지팡이 B) 흰지팡이

2) 보호자 동행시

보호자는 그림 6-8과 같이 환자의 팔 뒤에서 인도해 주는 것이 좋으며 위치를 바꾸는 경우에도 지속적으로 환자와 접촉을 유지하며 인도하는 것이 중요하다.

그림 6-8. 저시력인과 보행방법. 뒤 편에서 인도하는 것이 중요하다.

문을 열고 들어가는 경우에는 문이 어느 방향으로 열리는지 설명해 주는 것이 좋고 환자를 경첩방향으로 위치하여 들어가는 것이 좋다. 계단의 경우에는 올라가는 계단인지 내려가는 계단인지 설명하고 손잡이를 잡고 가도록 하며 마지막 계단에 도달하면 이야기해 주어야 한다(그림 6-9).

그림 6-9. 문 출입과 계단 내려가는 방법

3) 전자보행보조기구

흰지팡이가 가지고 있는 부족함을 채우기 위해 전자보행보조기구들이 개발되고 있다. 전자보행보조기구는 주변의 사물을 지팡이나 특수장치에 달려있는 레이저를 이용하거나 초음파를 이용하여 장애물을 감지하고 전달하는 장치이다(그림 6-10).

이론적으로는 저시력환자들에게 도움을 줄 수 있으나 가격이 비싸고 과도한 반응으로 인해 오히려 보행에 지장을 주기도 하고 전자보행보조기구에 익숙해지기까지 시간이 필요하다는 단점이 있다. 여러 기구들이 개발되었으나 실제로 사용되고 있는 제품은 많지 않다.

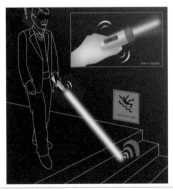

그림 6-10. 전자보행보조기구. 레이저를 이용하여 계단이나 물체를 감지하여 소리로 정보를 전달하거나 손잡이에 진동을 일으켜 감지하는 기구.

6. 점자

점자는 시각장애인을 위해 개발된 문자체계로 1821년에 프랑스의 Louis Braille가 개발하여 그의 이름을 따 영문으로는 브레일이라고 읽는다. 가로 2줄 세로 3줄의 6개 점을 조합하여 글자를 만들며 한글 점자는 1894년에 처음 고안되어 발전되어 오다가 현재는 1994년 한글점자연구위원회가 발표한 점자를 이용하고 있다(그림 6-11).

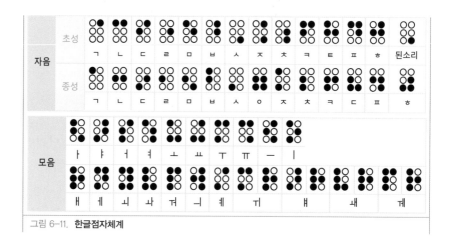

그림 6-11. **한글점자체계**

점자는 중도실명자의 경우 점자학습이 어려운 점이 있고 잔존시력이 남아 있는 경우가 많아 실제적으로 전맹에 이르기 전에는 활용도가 높지 않다. 하지만 어릴 때부터 전맹인 경우에는 촉각이 발달되어 있고 기존 학습 체계를 통한 교육이 어려워 점자를 적극 활용하는 것이 좋다.

점자정보단말기는 텍스트파일을 점자로 변환시켜 읽을 수 있게 하며 점자를 이용하여 텍스트로 변환시킬 수 있는 기기이다(그림 6-12). 최근에는 다양한 크기의 제품들이 보급되고 스마트폰이나 태블릿컴퓨터, 여러 가지 컴퓨터 프로그램과 호환이 가능한 제품들도 출시되었다.

그림 6-12. **점자정보단말기**

7. 환경개선

보조기구, 특수렌즈, 프리즘처방을 고려하기 전에 아래와 같은 사항들을 우선 개선하는 것이 중요하다.

① 대비감도가 높은 가구, 가전기구 등을 우선 고려한다.
② 다양한 음성지원기능이 있는 기구들을 사용한다(그림 6-13).
③ 저시력인을 위한 생활보조용품을 사용한다(그림 6-14, 그림 6-15).
④ 촉감을 이용하여 사물을 구별하기 쉽도록 사물에 여러 가지 텍스타일을 접목시킨다.
⑤ 전체적인 조명을 밝게 한다.
⑥ 독서등을 사용한다.
⑦ 눈부심을 줄이기 위해 커튼이나 블라인드를 사용한다.
⑧ 큰 활자로 인쇄된 책을 사용한다.
⑨ 집안이나 사무실에서의 이동경로에 있는 장애물을 치운다.

그림 6-13. **다양한 음성지원 기구,** A) 음성지원 체온계, B) 음성지원 체중계, C) 음성지원 혈당계

그림 6–14. **다양한 저시력환자용 시계.**
A) 대비감도가 높은 벽걸이 시계   B) 음성지원 탁상시계
C) 음성지원 손목시계   D) 촉각인지 손목시계

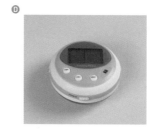

그림 6–15. **보조 생활용품들**
A) 미끄럼방지용 그릇   B) 흘림방지용 기구
C) 큰 리모트콘틀롤러   D) 자동 투약알리미

저시력클리닉을 운용하기 위해서 흔하게 처방되는 광학기구를 갖추어야 하는데 추천하는 광학기구의 목록 및 검사기구는 다음과 같다.

<별첨> 저시력클리닉을 운용하기 위해 갖추어야 할 기본품목

검사기구
- 저시력용 원거리 및 근거리 시력검사표
- 대비감도검사
- 프리즘

안경형
전시야현미경
비구면렌즈 : 양안 처방을 위해 각 2개씩
- +12 D
- +16 D
- +20 D
클리어이미지안경 : +4 D ~ +12 D

프리즘반안경
- +4 D ~ +12 D

루페
- 클립형
비구면현미경
- 3배 ~ 15배

손잡이확대경
- 비조명식 : 3배 ~ 15배
- 조명식 : 3배 ~ 15배

스탠드확대경
- 비조명식 : 2배 ~ 4배
- 조명식 : 3배 ~ 15배
- 집광경 : 1.8배 ~ 3배
- 막대확대경 : 1.8배 ~ 3배

시야확대용 마이너스 렌즈

망원경
- 갈릴레이망원경 2배 ~ 4배 (중간거리용)
- 갈릴레이망원경 + 리딩캡 +3 D ~ +15 D (근거리용)
- 케플러망원경 4배 ~ 15배

착색렌즈
- 회색, 호박색, 노란색, 오렌지색, 빨간색, 진자주색

전자기기
- 확대독서기 [closed circuit television, CCTV]
- 휴대용 전자확대기 [portable CCTV]

비광학기구
- 독서대
- 두꺼운 펜
- 대비강화경

참고문헌

01. Cullinan TR, Silver JH, Gould ES, et al. Visual disability and home lighting. *Lancet* 1979;1:642-4.

02. Sadun AA, Libondi T. Transmission of light through cataracts. *Am J Ophthalmol* 1990;110:710-2.

03. Haymes SA, Lee J. Effects of task lighting on visual function in age-related macular degeneration. *Ophthalmic Physiol Opt* 2006;26:169-79.

04. Severinsky B, Yahalom C, Florescu Sebok T, et al. Red-Tinted Contact Lenses May Improve Quality of Life in Retinal Diseases. *Optom Vis Sci* 2016;93:445-50.

제 7 장

중심시야결손의 치료
(시기능강화훈련)

저시력인들이 적절한 저시력 보조기구를 가지고 있고 사용하는 방법을 아는 것만으로는 충분하지 않다. 체계화되고 조직화된 훈련을 통해서, 가지고 있는 여러 가지 보조기구들을 효율적으로 사용할 수 있게 되며 특정한 기술을 용이하게 쓸 수 있게 된다. 본인의 남은 시기능을 최대로 활용하기 위해서는 저시력 기구 적응훈련과는 별도의 시기능강화훈련이 필요하다. 시기능강화훈련이란 원거리 또는 근거리에서 중심외주시를 강화하고 양안시 범위를 늘리고 복시를 제거하여 양안시기능을 향상시키며 시야결손을 보충할 수 있도록 하는 훈련이다. 시기능강화훈련을 할 때 너무 무리한 스케줄로 시도하면 오히려 환자가 좌절감을 느낄 수 있으므로 훈련을 할 때에는 단계별로 목표를 조금씩 올려 잡아 환자들이 쉽게 성취할 수 있도록 하는 것이 좋다. 따라서 환자가 지치지 않도록 훈련시간을 너무 길지 않게 한다. 환자가 쉽게 이해할 수 있는 방법을 알려주어 집에서도 스스로 훈련할 수 있도록 하는 것이 바람직하다. 가능하다면 환자 가족들이나 주변사람들도 함께 훈련 과정에 참여시키는 것이 좋다. 저시력 기구 적응훈련과 함께 시각발달 단계별로 시각과제를 제공하는 Barraga 시기능 효율성 개발프로그램과 주의, 주시, 추종 등의 시각기술 훈련이 가능하다.

1. 중심외보기훈련(eccentric viewing training)

중심외보기는 저시력 재활의 특수 분야 중 하나이다. 저시력클리닉을 찾아오는 환자들 중에서 중심시야에 암점이 있는 환자가 독서를 할 때 환자 스스로 중심외주시점을 이용하는 경우를 종종 접하게 된다. 나이관련황반변성, 추체이영양증, 근시성황반변성, 스타가르트병 등 중심암점을 침범한 황반질환 환자나 시신경유두황반다발결손이 있는 시신경질환 환자에서는 저시력보조기구를 이용한 저시력 치료를 시작하기에 앞서 중심외보기훈련이 도움이 되는지 평가해 볼 필요가 있다. 특히, 사회가 고령화됨에 따라 나이관련황반변성, 시신경위축 등으로 인한 중심시야결손 환자들이 점차 증가하는 추세이므로 중심외보기에 대한 관심과 체계화된 훈련방법을 정립하는 것에 대한 중요성이 증가되고 있다. 이에 대한 방법과 그 효용성에 대해서 알아보고자 한다.

1) 중심외보기의 정의 및 배경

(1) 중심와(fovea)

황반 중심의 약 5도 정도의 영역, 특히 중심 1.2-1.7도에 해당하는 부분은 중심소와로 정상 망막에서는 이곳이 주시에 사용된다. 정상인은 추체세포가 집중적으로 분포되어 있는 중심와를 사용하여 보려는 대상을 주시하고(중심주시), 보려는 대상이 시야에서 벗어나면 신속운동을 통해 다시 중심와에 상이 맺히게끔 재주시한다.

(2) 중심외보기(eccentric viewing)

황반부가 손상되면 시력저하와 더불어 중심암점이 생기기 때문에 눈은 중심시야를 대치할 만한 비교적 양호한 다른 망막 부위를 이용하게 된다. 중심외보기훈련이란 중심암점에서 조금 떨어진, 비교적 양호한 중심외망막부위를 사용하여 시각대상을 인지할 수 있게 하는 것이다.

중심암점이 있는 경우 병소 가까이에 상대적으로 더 잘 볼 수 있는 부분(선호망막부위, preferred retinal locus, PRL)이 존재하며, 이 부위를 이용하여 보다 수월하게 보고 사물을 인지할 수 있도록 하는 방법이 중심외보기훈련이다(그림 7-1). 새로운 중심외부위를 이용하여 시표를 주시하고 따라보는 것은 기존에 중심주시를 해오던 사람에게는 익숙하지 않은 방법이다. 따라서, 이러한 익숙하지 않은 새로운 주시점으로 보는 방법을 익히고 잘 활용할 수 있도록 하기 위해서는 반드시 훈련 과정이 필요하며, 환자에게도 상당한 시간과 노력이 필요하다는 사실을 미리 알려 주어야 한다.

중심외보기훈련에 대한 기존 연구들에서 다음과 같은 내용을 알 수 있다.

- 중심시야이상을 오래 전부터 겪어온 환자의 대부분은 이미 중심외보기 방법을 스스로 터득하여 보고 있다[1] (그림 7-2).
- 황반질환으로 인해 새롭게 중심시력장애를 겪는 환자 25명 모두에서 6개월 이내에 선호망막부위가 생겼다[2].
- 중심외보기훈련이 환자의 읽기능력 뿐 아니라 일상생활 활동을 개선하는데 도움이 되었다[3].

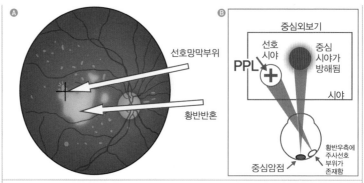

그림 7-1. A) 황반반흔 병소 가까이 선호망막부위(preferred retinal locus, PRL)가 존재한다.
B) 선호망막부위(PRL)을 이용하면 보다 수월하게 사물을 인지할 수 있다.

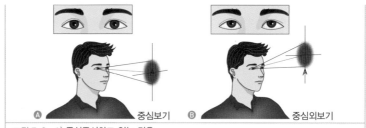

그림 7-2. A) 중심주시하고 있는 경우
B) 상측으로 중심외보기를 하고 있는 경우, 중심에 있던 암점이 상측으로 이동한다.

2) 중심외보기 적응 및 훈련 대상자

황반변성이 있는 환자들은 오랜 적응기간을 거쳐 황반주변부 망막을 주시점으로 사용하게 된다. 비록 유전 및 선천 황반질환이 있는 젊은 환자들이 오랫동안 황반부로 주시를 해온 고령 환자들보다 쉽게 성공적으로 중심외보기에 적응하기는 하지만 노인들도 훈련을 통해 적응에 성공할 수 있다. 임상적으로 중심외보기를 경험한 환자들의 상당수가 본인이 중심외보기를 사용하고 있는 것을 인지하지 못하고 있고, 많은 환자들 특히 고령의 환자들은 실제로 적절한 선호망막부위를 찾지 못하기 때문에 이러한 환자들을 위해 중심외보기훈련이 필요하다.

양안의 시력이나 시야가 비슷할 때는 중심외보기훈련이 어렵기 때문에, 양안의 시력 또는 시야장애 차이가 현저하거나 한 눈만 사용하는 사람이 훈련대상자로 적합하다. 단일 문자나 단어를 읽는 것에 비해 연속된 문장을 읽는 것이 어렵다거나 문자가 시야에서 사라지는 현상을 겪거나 얼굴이나 표지판을 알아보기 힘들고 이동이 어려운 경우 중등도의 중심시야장애가 있음을 의미하며, 중심외보기훈련이 필요하다는 신호로 볼 수 있다.

훈련을 시작하기에 앞서 환자에게 동기를 부여하는 것이 중요하다. 익숙하지 않은 주시점을 이용하여 새롭게 보는 방법을 익혀야 하는 과정은 시간이 많이 걸리고 고달픈 일이다. 보통 환자들은 이러한 과정을 견딜만한 충분한 욕구나 동기를 가지고 있지 않다. 병력을 자세히 청취하고 보고자 하는 목표와 함께 환자의 의지를 평가하는 것이 중요하다. 끊임없는 격려와 실현 가능한 목표 설정을 통해 환자의 동기와 의지가 잘 유지되도록 해야 한다.

중심외보기 훈련의 목적

- 일정한 중심외로 주시를 못하는 저시력인에게 적절한 선호망막부위를 찾도록 도와준다.
- 비효율적인 선호망막부위를 사용하고 있다면, 보다 효과적인 중심외부위를 사용할 수 있도록 한다.

예를 들어, 우측으로 중심외보기를 하고 있는 환자의 경우, 중심에 있던 암점이 우측으로 이동하는데(그림 7-3), 우측 시야는 독서를 포함하여 일상생활에서 중요성이 비교적 높은 위치이기 때문에, 이러한 환자에서는 상측이나 하측으로 중심외보기를 할 수 있도록 방향을 옮겨주는 것이 바람직하다. 또한 하측으로 중심외보기를 하고 있는 환자들 중 보행할 때 어려움을 호소한다면, 중심외보기 방향을 상측으로 이동시켜 훈련시키는 것을 고려한다.

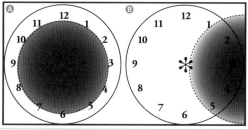

그림 7-3. A) 중심주시의 경우 암점이 중심에 있다.
　　　　 B) 우측으로 중심외보기를 하고 있는 경우 암점이 우측으로 이동한다. 이 경우 글을 읽어나가는 방향인 우측에 암점이 위치하므로 어려움을 느낄 수 있다.

3) 암점인지훈련(scotoma awareness training)

환자가 중심외보기를 배우거나 또는 암점 주변을 이용하기 전에 자신의 암점위치를 정확히 인지하도록 해야 한다. 환자가 암점을 인식할 수 있을 때 훈련하는 것이 도움이 된다. 중심암점의 크기와 암점 주위에 어느 부위로 보는 것이 가장 효과적인지 환자 자신이 인지하면 중심외주시훈련을 보다 적극적으로 받을 수 있다. 비교적 최근에 중심시야 결손을 겪은 환자들은 자꾸 중심으로 주시하려고 하여 보고자 하는 중심 시표가 자꾸 사라진다고 한다. 중심시야결손을 앓은 지 오래되고 이미 중심외보기를 하고 있는 환자들은 시표의 위, 아래, 옆으로 시선방향을 두어 암점을 중심에서 주변부로 이동시키고 주변부망막을 사용하여 가운데 있는 시표를 주시하고 있다. 암점인지훈련은 다음과 같이 시행한다.

- 암슬러격자, 탄젠트스크린을 이용할 수 있다.
- 만약 환자가 계속적으로 차트의 특정 숫자나 문자를 놓친다면 그들에게 그것이 암점임을 인지시킨다.
- 검사자의 얼굴을 이용한 안면관찰 방법이 도움이 된다. 사람의 얼굴은 대비가 낮은 시표로 이용될 수 있다. 환자의 한 눈을 가리고, 60~90cm 떨어진 거리에서 검사자의 얼굴을 보도록 하고 얼굴의 어느 부위가 안 보이는지 묻는다. 이 방법은 검사자가 가까운 거리에서 환자가 어떻게 중심외보기를 하고 있는지 직접 명확하게 관찰하여 훈련에 이용할 수 있다는 장점이 있다.

4) 중심외보기 방향 찾기

선호망막부위를 찾는 방법은 여러 가지가 있다. 검안경이나 안저카메라를 이용하여 시표를 주시하도록 해서 환자가 어디로 주시하는지 알아보는 방법이 있다. 780nm 적외선 레이저에 의해 망막을 스캔하는 조사형 레이저 검안경(scanning laser ophthalmoscope, SLO)나 미세시야계(microperimetry)를 이용한 방법이 정확하다고 알려져 있으나, 장비의 가격이 비싸고 검사시간이 오래 걸리며 실제로 이 기계를 갖고 있는 안과병원이 많지 않아 실제 적용하기에는 어려움이 있으므로, 이 책에서는 실제 외래에서 환자에게 쉽고 빠르게 적용할 수 있는 시계판을 이용하는 검사법을 주로 소개하도록 한다.[4]

　　(1) 중심외보기훈련에 이용할 시계판은 대략 20-28cm 지름의 흰 종이 위에 검은 펜으로 시계방향으로 1부터 12까지 숫자를 기입한다. 중심에 별모양과 같은 시표를 그리고, 그 위에 작은 구멍을 뚫어, 검사자가 그 구멍으로 환자가

어떻게 시계판을 보고 있는지 관찰하면 도움이 된다(그림 7-4).

그림 7-4. **중심외보기훈련에 이용할 시계판**

(2) 보통 환자로부터 시계판을 대략 40-50cm 거리에 두고 검사를 시행한다. 따라서 환자가 평소 착용하고 있는 근거리용 안경은 그대로 착용시키도록 한다. 만약 이 거리에서 환자가 시계 숫자가 보이지 않는다고 한다면, 시계판 숫자를 알아볼 수 있는 거리까지 검사거리를 더욱 가깝게 한다. 환자의 시력이 비교적 양호하고, 중심암점의 크기가 작은 환자는 거리를 보다 멀리하여 검사해도 된다.

(3) 환자에게 시계판 중심의 물체가 보이게끔 시계판을 바라보도록 한다.

(4) 중심암점이 있지만 여전히 중심주시를 하고 있는 환자라면, 시선방향이 중심에 있는 별을 향하고, 시계판 가운데 있는 별이 보이지 않는다고 얘기할 것이다. 그 상태에서 환자에게 시계판에 있는 숫자 중 어떤 숫자가 비교적 선명하게 보이는지 물어본다(그림 7-5A).

(5) 평소에 중심외보기를 하고 있는 환자라면, 시선방향이 주변부를 향하고 있고 환자는 시계판 가운데 있는 별모양 시표가 비교적 선명하게 보인다고 이야기할 것이다(그림 7-5B). 그 상태에서 환자에게 시계판에 있는 숫자 중 어떤 숫자가 안 보이는지 물어본다. 예를 들어 시계판 중 2, 3, 4번이 안 보인다고 한다면, 이 환자는 우측 중심외보기를 하고 있다고 해석할 수 있다.

(6) 환자의 시선방향이 일정하지 않고 중심외보기를 제대로 못한다고 판단되면, 숫자 1부터 시계방향으로 차례대로 주시하도록 하면서, 가운데 있는 별모양이 가장 선명하게 보이는 시계 방향을 찾는다. 이 방향이 가장 효과적인 중심외보기 방향임을 환자에게 가르쳐 준다.

(7) 상기의 과정을 거쳐서 가장 효과적인 중심외보기 방향을 찾았다면, 환자가 중심주시를 하면 별이 안 보이고, 찾아낸 중심외보기 방향으로 주시하면 별이 선명하게 보인다는 것을 알 수 있도록 반복적으로 훈련시킨다.

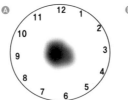 

그림 7-5. A) 중심주시를 하고 있는 환자는 가운데 있는 별이 가려 보인다.
　　　　 B) 좌하측 방향으로 중심외보기를 하는 환자는 시계판의 좌하측 숫자를 보지 못하나, 가운데
　　　　 있는 별은 비교적 선명하게 인지한다.

시계판을 이용한 검사 결과의 해석

1) 환자의 시선이 상측을 향하여 일정하게 고정되어 있으면서, 시계판의 11, 12, 1 번 숫자가 안 보인다고 한다면, 이미 이 환자는 효율적으로 상측 중심외보기를 하고 있으므로 따로 훈련이 필요 없다.

2) 우측 혹은 좌측 중심외보기를 하고 있는 환자의 경우 독서에 어려움은 없는지 살피고, 어려움이 있다면 독서할 때 보다 효과적인 중심외보기 방향을 찾고 이를 훈련시킨다(그림 7-6 A,B).

3) 환자가 5, 6, 7번 숫자가 가려 보인다고 하면 하측 중심외주시를 하고 있는 환자인데, 이는 보행 시 안전상의 위험 요인이 되므로, 다른 방향으로 중심외보기를 할 수 있도록 훈련이 필요하다(그림 7-6 C,D).

4) 환자의 시선방향이 일정하지 못하고, 이리저리 움직인다면 효과적인 중심외보기 방향을 찾아 이에 대해 훈련시켜야 한다.

 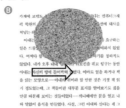

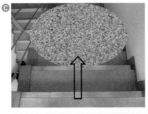 

그림 7-6. A, B) 우측 중심외보기를 하고 있는 환자가 독서 시 어려움을 호소한다면,
　　　　 상측 중심외보기훈련을 시도해보는 것이 좋다.
　　　　 C, D) 하측 중심외보기를 하고 있는 환자가 보행 시 어려움을 호소한다면,
　　　　 다른 방향으로 중심외보기를 할 수 있도록 훈련한다.

(8) 기타 임상에서 활용 가능한 중심외보기 방향 파악법

Dr. Gagnon 이 임상에서 활용하는 방법을 소개하면, Feinbloom 원거리시력표의 20/225에 해당하는 크기의 숫자 8 시표를 환자의 눈높이에 맞추어 1m 거리에 둔다. 환자에게 큰 시계의 가운데에 숫자 8이 있다고 생각하도록 하고, 상, 하, 좌, 우 네 방향으로 천천히 시선방향을 이동하면서 숫자 8을 가장 선명하게 인식할 수 있는 방향이 어디인지 확인한다. 이어서 시표를 중심으로 12곳의 시계방향으로 눈을 서서히 원형으로 이동하면서 가장 선명하게 보이는 위치를 찾도록 한다. 예를 들어 2시 방향을 향하여 보는 것이 가장 선명하다고 한다면, A4용지에 8자를 인쇄하여 준 후 하루에 30분씩 2시 방향으로 중심외보기를 연습하도록 하면, 한 두줄 이상 시력이 향상되어 내원하는 환자를 만날 수 있다. 이와 같은 방법으로 중심외보기 방향을 찾고 훈련을 받은 국내 환자를 대상으로 한 연구에서 읽기속도와 환자의 주관적 만족도가 유의하게 향상되었다고 하였다.[4]

5) 가정에서의 중심외보기훈련 방법

환자가 가장 잘 보이는 위치와 방향을 알아냈다면, 검사자는 그 때의 눈의 방향을 알려주고, 집에서도 앞에서 소개한 시계판을 이용하여 스스로 훈련할 수 있도록 환자와 보호자에게 교육한다. 중심외보기하고 있는 방향을 의식하고 그 시선 방향을 유지하면서 시표를 추적하여 따라보기가 가능하도록 지속적으로 훈련한다.

일본의 Dr. Takahashi 는 실생활에서 쉽게 얻을 수 있는 1L 우유팩을 이용한 중심외보기훈련 방법을 소개하였다(그림 7-7). 우유팩을 한 손으로 잡고 얼굴 정면 눈앞에 약 30cm 거리에서 우유팩에 있는 글자 중 눈에 잘 띄는 글자 하나를 시표로 정하여 그 시표가 잘 보이게끔 중심외보기 방향을 유지한다. 이 때 우유팩을 천천히 좌측으로 움직이면서 머리는 돌리지 않고 중심외보기를 유지한 채로 시선방향을 움직이면서 시표를 따라보도록 한다. 이와 같은 방법으로 우측, 상측, 하측으로도 중심외보기를 유지하면서 따라보는 방법을 훈련한다.

인쇄된 종이나 컴퓨터로도 연습할 수 있으며, 문자, 단어 그리고 연속적인 문장 위, 아래로 선이 있어서 환자들이 암점을 문자 위나 아래로 위치시키는데 도움을 준다. 그림 7-8과 같은 한글로 된 중심외보기훈련 연습지도 유용하게 쓰인다.

그림 7-7. 우유팩을 이용한 중심외보기훈련법

6) 중심외보기훈련 할 때 고려할 점(그림 7-8)

- 비삼출성황반변성의 경우, 중심외보기는 오른쪽 눈에서 3시, 왼쪽 눈에서 9시 방향이 많다. 물론 환자의 병소의 위치와 크기에 따라 다르지만, 많은 환자들이 황반 중심에 가까이 있는 이측망막을 사용하기를 선호하기 때문이다.
- 망막색소변성이나 녹내장 환자의 시력을 평가할 때 더 작은 시야에서 더 작은 문자를 사용해야 한다. 시야가 매우 좁다는 것을 고려해 처방과 훈련이 이루어져야 한다.

2. 기타 기구를 이용한 시기능강화훈련

1) 회전기(rotator)

회전판(그림 7-9 A, B)은 저시력인에게 시각추적(visual tracking), 주시 및 따라보기를 가르치는 데 유용하다. 시표는 골프티로 회전판의 테두리에 고정되어 있다. 환자는 움직이는 티를 손가락으로 가리키며, 이 때 기능이 가장 좋은 망막부위를 사용하게 된다. 회전판은 중심외보기훈련에도 유용하다. 여러 타겟을 붙여서 따라보기를 훈련시키거나, 눈과 손의 운동 부조화를 개선하는 데에도 도움이 된다.

2) 주변부인지훈련

주변부인지훈련기(peripheral awareness trainer, 그림 7-9 C)는 일반인에서 주변부 인지를 향상시키는 스포츠 훈련에 이용되기도 하지만, 저시력 환자에서는 주변부인지훈련하는데 유용하게 쓰인다.

그　　　너　　　애　　　차　　　도　　　미

바다　　　자리　　　수저　　　토지　　　하수

아파요　　　스피커　　　마우스　　　이무기

젓가락　　　백열등　　　화장품　　　책받침

대한민국　　　우리나라　　　독도사랑　　　하늘과땅

그림 7-8. **한글로 된 중심외보기 연습지**

3) 시각유연성훈련

　　수평방향, 수직방향, 사선방향으로 시표를 따라 고정된 시선을 이동시키면서, 주시 및 따라보기 등의 시기능을 증진시키기 위한 훈련방법이다(그림 7-9 D).

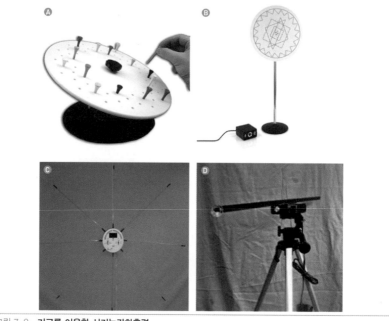

그림 7-9. **기구를 이용한 시기능강화훈련**
A) 수동 회전판(manual rotator)
B) 회전판훈련기(rotation trainer)
C) 주변부인지훈련기(peripheral awareness trainer)
D) 시각유연성훈련기(visual flexibility trainer)

4) Barraga 시기능 교육 훈련 프로그램

Barraga는 촉각과 시각을 이용하여 도형을 변별할 수 있도록 훈련하거나 시각만으로도 도형을 구분하는 능력을 훈련하여 형태의 구별, 물체 고르기 등을 습득하는 저시력인을 위한 훈련 프로그램을 개발 하였다. 프로그램은 총 8세션으로 나뉘어져 있으며 40개의 항목 총 150개의 레슨으로 구성되어 있다 (그림 7-10).

그림 7-10. Barraga 시기능 훈련 프로그램

이상 저시력인의 중심외보기를 포함한 시기능강화훈련에 대해 알아보았다. 간단한 훈련을 통하여 그들의 삶의 질을 향상시킬 수 있다는 것을 더 많은 사람이 알고 저시력인들에게 도움을 주는 것이 필요하다

참고문헌

01. Whittaker SG, Budd J, Cummings RW. Eccentric fixation with macular scotoma. *Invest Ophthalmol Vis Sci* 1988;29:268-78.

02. Crossland MD, Culham LE, Kabanarou SA, Rubin GS. Preferred retinal locus development in patients with macular disease. *Ophthalmology* 2005;112:1579-85.

03. Howe J. Eccentric viewing training and its effect on the reading rates of individuals with absolute central scotomas: a meta-analysis. *J Vis impairment Blindness* 2012;106:527-42.

04. Jeong JH, Moon NJ. A Study of Eccentric Viewing Training for Low Vision Rehabilitation. *Korean J Ophthalmol* 2011;25:409-16.

제 **8** 장

주변부시야결손의 치료
(프리즘)

뇌병변이나 시각로질환에 의해 시야결손이 발생하면 일상생활에 어려움을 겪게 된다. 시야 확장에 대한 가장 초기의 발표는 1919년 Bell에 의한 것으로 양이측반맹 환자에게 코 쪽에 거울을 단 안경으로 시야를 늘린 것이다.[1] 프리즘은 주변시야를 보다 효과적으로 이동 및 확장시킨다.

1) 저시력치료에서 프리즘의 원리

프리즘은 꼭지점으로 상을 옮기고, 상이 이동하는 각은 프리즘 양의 반과 비슷하다(1 PD = 0.57도). 예를 들어 30 PD는 15도(정확하게는 17.1도) 정도 프리즘의 꼭지점으로 상을 이동시킨다(그림 8-1). 환자가 프리즘을 통해서 보면 안 보이는 쪽의 상이 이동하여 눈을 보이지 않는 쪽으로 돌리지 않아도 되므로 눈동자의 움직임을 줄일 수 있다. 물체의 이동 정도는 프리즘 세기와 물체로부터의 거리에 영향을 받는다. 이러한 프리즘의 목적은 보이지 않는 부분을 시야의 보이는 쪽으로 이동시키는 데 있다. 중요한 원칙 중 하나는 프리즘 바닥은 항상 시야 결손 쪽으로 두어야 한다는 것이다. 이때 결손과 프리즘 바닥의 배치는 의사가 아닌 환자에 맞추어야 한다.

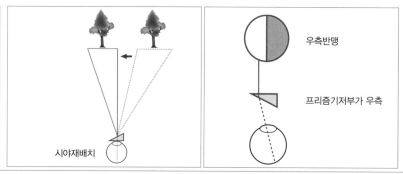

그림 8-1. **프리즘을 이용한 시야 재배치와 우측반맹에 대한 프리즘의 실제 적용**
A) 프리즘을 눈앞에 위치하면 프리즘의 꼭지점으로 상이 이동함 (① → ②)
B) 우측반맹의 경우 프리즘의 기재부를 반맹쪽으로 위치시킴

프레넬프리즘(Fresnel prism)은 시야 확장을 위해 쓰이는 가장 대중적인 프리즘이다(그림 8-2). 프레넬프리즘은 1mm두께의 플라스틱(polyvinyl chloride)으로 안경의 안쪽에 표면장력으로만 부착이 가능하다. 프레넬프리즘의 장단점은 표 8-1과 같다.

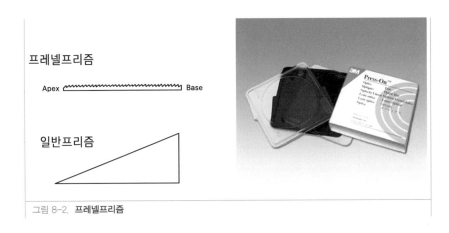

그림 8-2. 프레넬프리즘

표 8-1. 프레넬프리즘의 장단점

장점	단점
안경에 탈부착이 쉬움	일부 시력 저하가 발생
무게가 가벼움	대비감도의 저하(특히 긴파장)
두께가 얇음	시간 경과에 따른 프리즘의 변색
가격이 비교적 저렴함	시간 경과에 따른 부착력의 저하
다양한 프리즘디옵터(0.5 PD ~ 40 PD)	플라스틱 프리즘에 비하여 왜곡과 색수차가 큼

프레넬프리즘을 사용할 때 중요한 것은 환자가 왜 프리즘을 사용하는 지 아는 것이다. 목적은 물체를 정확하게 보이게 하는 것이 아니라 주변의 물체를 인식하게 해 주는 데 있다. 가장 많이 사용하는 프리즘은 15, 20, 30 PD이다. 가장 적당한 프리즘 양의 결정은 환자의 목표에 달려있다. 시야 손상의 범위와 환자 개개인의 적응력을 고려한다.

성공률이 높은 대상은 반맹을 가지고 있는 환자들이고, 그 중에서 단안이측반맹 환자들이 성공률이 가장 높다. 이러한 환자들은 프리즘의 바닥을 안경의 이측으로 처방한다. 그러나 이 프리즘도 시야의 손상이 너무 심하거나 중

간에 시야가 살아 있는 부분(island)이 있으면 적용이 어렵다

프레넬프리즘의 처방순서

① 환자를 의자에 앉게 하고 환자의 머리는 정면을 보게 한다.

② 환자는 원거리에서 최대교정시력의 안경을 끼게 한다

③ 한쪽 눈은 가린다.

④ 가까운 거리의 무늬가 없는 벽을 바라보게 한다.

⑤ 프레넬프리즘의 바닥을 시야결손 방향으로 위치하게 하고 그 양을 증가시키면서 환자의 시야에 물체의 모서리가 나타나면 이야기 하도록 한다. 이 순서를 진행하는 동안 환자의 머리는 움직이지 않는 것이 가장 중요하다.

2) 편위를 위한 프리즘 처방

황반변성이나 중심에 심한 시력저하를 가져오는 시신경병증의 경우 중심시야가 손상되어 중심주시가 어렵게 된다. 이러한 경우에는 중심외주시를 통해서 시력개선을 기대할 수 있다. 중심외주시를 하기 위해서는 사물을 곧바로 보지 못하고 비스듬하게 보아야 하므로 고개돌림이나 안구의 편위를 통해 이루어지게 된다. 장시간 지속될 경우 목의 통증이나 외관상의 문제가 발생 할 수 있어 이러한 경우 프리즘을 이용하여 중심외주시부위로 상을 옮겨 줌으로써 위의 문제를 줄일 수 있다(그림 8-3).

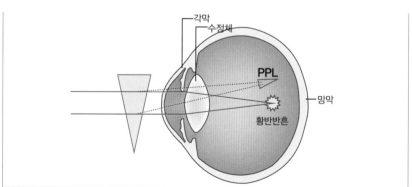

그림 8-3. 프리즘을 이용한 편위. 황반변성 환자에서 상측에 선호망막부위(preferred retinal locus, PRL)이 있다면 프리즘을 기저부위쪽으로 처방하여 고개를 들지 않고 사용할 수 있다.

<증례1>

34세 여자

6세에 교통사고로 시신경위축이 발생함 (A, B)

시력 우안 안전수지, 좌안 광각 없음

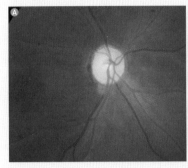 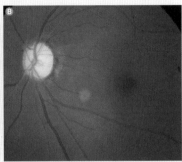

우측의 중심암점으로 인해 좌측으로 중심외주시를 하고 있어

째려 본다는 이야기를 주위로부터 자주 들음(C, E)

우측에 40 PD 기저부외측으로 프레넬프리즘 처방 후 안구위치가 바로 됨(D, F).

중심암점 환자에서 프리즘 처방

중심외주시방향으로 기저부를 위치
예 : 중심오목에서 이측에 선호망막부위가 있다면 이측으로 프리즘기저부를 위
치시킴

3) 시야확장을 위한 프리즘 처방

(1) 반맹

반맹에서 안경에 프리즘을 이용하여 시야를 확장시킬 수 있다. 주로 동측반
맹에서 시야확장에 프리즘이 사용되고 전시야프리즘과 부분프리즘을 이용
하여 처방할 수 있다.

① 전시야프리즘

전시야프리즘은 시야를 확장시키는 면에서 만족도가 높으며, 원거리나 근거리의
작업을 할 때 모두에서 효과적인 유일한 방법이다(그림 8-4). 이론적으로 프리즘
은 양쪽 안경렌즈에 넣고 시야결손 부위로부터 시야 전체를 이동시켜 시야를 확
장시키는 효과 외에도, 머리 자세를 바꾸는 효과가 있다. 15명의 동측반맹 환자를
대상으로 시행한 국내 연구에서도 프레넬프리즘을 이용한 시야재배치를 시도하였
을 때 이상두위를 보정하고 환자의 기능적 시력을 향상시킬 수 있었다고 하였으
며, 특히 단안 반맹 및 황반 분리 반맹에서 그 효과가 우수하다고 하였다.[2] 많은 의
사들이 좀 더 가볍고 얇게 하기 위해 프레넬프리즘을 사용하나 해상도가 떨어져
사물이 덜 선명해 보인다는 단점이 있다.

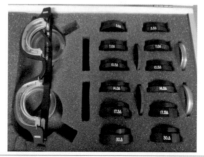

그림 8-4. **프리즘세트(3.5 PD ~ 30 PD)**

전시야프리즘의 처방 순서

① 환자의 시선을 고정시킨다.

② 프리즘의 기저부를 반맹이 있는 방향으로 하여 양안에 6 ～ 8 PD의 프리즘을 적용한다(예, 우측반맹이면 바닥이 우측으로 가도록 위치한다).

③ 주변 시야의 변화에 대해 확인한다.

④ 환자에게 알맞은 프리즘을 고를 때까지, 양안에 2~4 PD씩 단계적으로 증량시킨다.

⑤ 환자가 이동하는데 사용할 가장 좋은 렌즈를 찾기 위해 프리즘을 착용한 채로 걷게 하고 환자가 어떻게 느끼는지 기록한다

⑥ 근거리 작업을 위해 환자를 책상에 앉히고 책을 읽거나 물체를 찾아내거나 종이에 쓰는 작업들을 시켜본다.

처방시 주의점 :

① 복시를 막기 위해 반드시 양안으로 사용해야 한다.

② 미관상 보기 좋아야 하므로, 테와 렌즈의 두께, 무게를 최소화하는 것을 고려하고 작고 둥근 모양을 선택한다.

③ 환자에게는 마지막 처방 시에, 안경의 무게 및 색수차 발생 가능성에 대하여 알려주어야 한다.

④ 움직이지 않을 때는 불편함이 없으나 움직일 때는 공간의 뒤틀림을 겪을 수 있으므로 프리즘을 결정할 때는 환자가 편안하게 느끼는 지와 환자의 움직임을 고려하여야 한다.

프리즘을 처방한 후에는 주의 깊은 추적관찰이 필요하다. 환자에게 뒤틀려 보일 수도 있다는 것을 알려주고 안경을 착용하는 스케줄을 짜주어야 한다. 안경을 계속 쓰고 있을 것인지 간격을 두고 쓸 것인지의 결정은 환자 개개인에 따라 달라진다. 익숙한 운동이나 작업을 하도록 하는 것이 적응에 도움이 된다. 장기간의 추적관찰로 프리즘이 계속 필요한지 파악한다. 많은 환자들이 프리즘 착용 후 작업을 잘 수행 할 수 있기까지 일반적으로 몇 달에서 몇 년까지 걸린다.

② 부분프리즘

부분 프리즘은 시야결손이 없는 부분은 그대로 두고, 시야결손이 있는 범위에서만 시야결손이 있는 방향으로 프리즘의 기저부를 안경렌즈 위에 부분적으로 위치시키는 방법이다. 즉 부분프리즘 안경을 착용한다면 시야결손이 있는 방향에 있는 물체를 찾기 위해 필요한 눈 움직임의 정도를 줄여줄 수 있다. 예를 들어 우측 반

맹이 있는 환자가 우측에 있는 시각정보를 얻기 위해서는 우측으로의 신속눈운동을 이용하게 되는데, 그림 8-5와 같은 부분프리즘안경을 착용하게 되면 우측으로 눈을 조금만 움직여도 우측의 시야가 확보되어 도움이 된다.

그림 8-5. **우측 반맹 환자를 위한 부분프리즘 안경(우측으로 프리즘의 기저부를 둔다)**

부분 프리즘에서 두 가지 장애가 되는 것 중 하나는 렌즈에서 프리즘으로의 이행부에서의 프리즘 도약(prism jump)이 있다는 것이다(그림 8-6).
두 번째 문제는 환자가 보이지 않는 쪽으로 눈을 향할 때만 프리즘의 작용이 나타난다는 것이다.

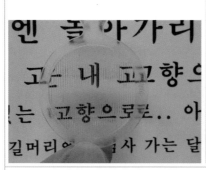

그림 8-6. **프리즘에 의해 발생하는 프리즘도약 효과**

부분프리즘은 물체를 오래 응시하게 하는 것이 아니고 위치를 파악하는 데에만 사용되므로 프레넬프리즘이 대부분의 환자들에게 사용된다. 그러나 접합부가 잘 떨어지는 단점이 있다.
양안에 부분 프리즘 적용 방식을 활용하였을 때 Rossi 등은 동측반맹이 있는 환자에게, 약 15 PD 정도가 환자가 큰 어려움 없이 적응할 수 있는 상한선의 프리즘 도

수 정도이며, 15 PD의 프레넬프리즘을 시야장애가 있는 방향의 안경의 양쪽에 부분적으로 부착하였을 때, 여러 시각인지능력 평가에서 개선되었다고 보고하였다.[3] 단안에 부착하는 경우 프리즘 양을 조금 더 늘릴 수 있는데 Giorgi 등[4]은 동측반맹의 환자에서 40 PD 프레넬프리즘을 처방한 후 만족도를 조사한 결과 환자 중 67%에서 지속적인 프리즘착용을 선택하였고 평균 시야확장은 22도로 측정되었다. Peli E.[5] 가 동측반맹환자에게 적용할 수 있는 새로운 프리즘 이용법을 소개하였는데, 약 40 PD의 프레넬프리즘을 부분적으로 시야결손이 있는 쪽의 단안에 부착하는 방법이다(그림 8-7). 즉, 좌측반맹이 있는 환자의 좌측 안경에 중심부에 약 11미리 정도의 간격은 남겨두고, 40 PD의 프레넬프리즘의 기저부를 시야장애 쪽인 좌측으로 기존안경의 상하부에 부착하는 방식이다(그림 8-8). 중심부의 프리즘이 없는 부위를 통해서는 프레넬프리즘으로 인한 시력저하 없이 깨끗한 양안시를 유지하면서 상하측의 프레넬프리즘 부착부위를 통해 주변부 시야가 개선되는 효과를 얻을 수 있다고 하였다. 최근 보고된 다기관연구결과에서도 약 47%의 환자가 일년 이상 위와 같은 프리즘안경을 유지 착용하였고, 시야장애가 있는 쪽의 장애물을 피하거나 보행시 이동하는데 도움이 된다고 하였다.[6]

그림 8-7. **시야확대용 부분프리즘**

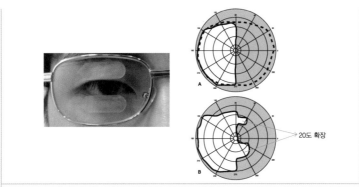

그림 8-8. **부분프리즘을 이용한 시야확장.** 반맹을 가진 환자에서 안경에 40프리즘의 프레넬프리즘을 부착하면 B와 같이 20도의 시야확장의 효과가 나타난다.

반맹 환자에서 프리즘 처방

반맹쪽으로 프리즘기저부를 위치
예 : 우측반맹이면 우측으로 프리즘기저부를 위치시킴

(2) 시야협착

망막색소변성, 범맥락막위축, 녹내장과 같은 경우는 주변부시야가 좁아지는 장애를 가지게 되며 20도 이내로 시야가 좁아지는 경우 일반적인 생활에 영향을 미칠 수 있다. 이러한 경우 프리즘을 이용하여 주변부시야결손을 보상할 수 있다(그림 8-9).

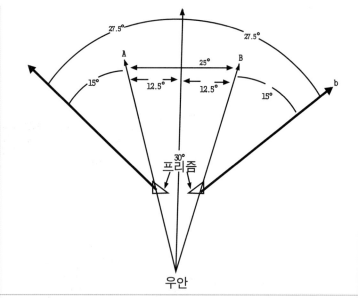

그림 8-9. **프리즘을 이용한 시야확장.** 정면주시에서 양쪽으로 12.5°의 시야를 가지고 있는 경우 30프리즘을 이용하면 양쪽으로 15° 정도의 시야확장 효과가 있다.

주변부시야협착을 확장시키기 위해 InWave channel prism과 Tri-field design prism을 적용시킬 수 있다(그림 8-10). InWave channel prism은 1990년 말부터 사용되기 시작하였다(그림 8-10A). Channel이라는 이름은 프리즘을 붙이지 않은 부위가 있음을 이야기 하고 이러한 이유로 정면주시에서는 프리즘효과가 없고 시야결손이 시작되는 부위에서 프리즘을 꼭지점이 안쪽으로 향하도록 양안에 부착하여 제작하므로 시야결손이 발생하는 부위에서 시야확장이 일어난다. 일반적으로 프리즘의 양은 20 PD를 초과하지 않는 것이 추천된다. Tri-field design prism은 비주시안에 동공중심을 기준으로 꼭지점을 중앙으로 향하도록 두 개의 프리즘을 장착한다(그림8-10B). 이렇게 되면 주시안은 정면, 비주시안은 시야확장된 양쪽면이 보이게 되어 세 방면의 시야를 확보하게 되어 Tri-field design prism이라고 명명하게 되었다.[7]

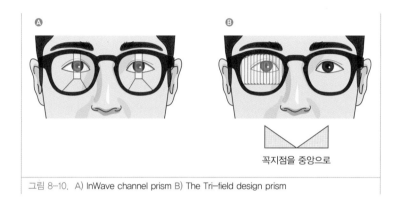

꼭지점을 중앙으로

그림 8-10. A) InWave channel prism B) The Tri-field design prism

참고문헌

01. Bell E, Jr. A mirror for patients with hemianopsia. *J Am Med Assoc* 1949;140:1024.

02. 구현, 문남주. 동측반맹 환자에서 프레넬 프리즘을 이용한 시야 이동 및 임상적 효과. 대한안과학회지 2013;54:123-130.

03. Rossi PW, Kheyfets S, Reding MJ. Fresnel prisms improve visual perception in stroke patients with homonymous hemianopia or unilateral visual neglect. *Neurology* 1990;40:1597-9.

04. Giorgi RG, Woods RL, Peli E. Clinical and laboratory evaluation of peripheral prism glasses for hemianopia. *Optom Vis Sci* 2009;86:492-502.

05. Peli E. Field expansion for homonymous hemianopia by optically induced peripheral exotropia. *Optom Vis Sci* 2000;77:453-64.

06. Bowers AR, Keeney K, Peli E. Community-based trial of a peripheral prism visual field expansion device for hemianopia. *Arch Ophthalmol* 2008;126:657-64.

07. Woods RL, Giorgi RG, Berson EL, et al. Extended wearing trial of Trifield lens device for 'tunnel vision'. *Ophthalmic Physiol Opt* 2010;30:240-52.

제 **9** 장

질환별 처방

여기서는 크게 주요 질환별 저시력 환자를 다루는 원칙을 알아보기로 한다.

다음과 같은 저시력 치료의 방법을 질환별로 잘 적용한다.

① 확대 (magnification)
② 대비증진 (contrast enhancement)
③ 시기능훈련 (vision training)

1. 안질환별 저시력 처방의 실제[1-3]

1) 각막질환

각막질환으로 인한 혼탁이 있는 환자들은 각막혼탁으로 인해 시력과 함께 대비감도가 떨어진다(그림 9-1). 이러한 이유로 시력에 비해 불편함을 더 심하게 호소한다.

① 굴절검사를 철저히 한다.
② 조명은 중간밝기 정도의 황색계열의 조명을 선택하는 것이 좋다.
청색계열의 형광등은 각막혼탁이 있는 환자에서 산란을 더 많이 일으켜 눈부심 증상을 악화시킨다. 같은 이유로, 황색 계열 안경을 착용하면 산란이 많이 되는 청색광을 흡수하여 도움이 된다. 반사차단코팅안경을 착용하는 것도 빛번짐을 줄이는 데 도움이 되며 확대경은 조명이 없는 것을 선택하는 것이 바람직하다.
③ 대비감도를 높이기 위한 방법들이 시기능을 높이는 데 상당히 효과적이다. 글을 읽을 때, 크고 굵은 활자체를 이용하고, 대비강화경을 사용

하는 것이 좋다.

④ 각막혼탁이 있는 환자에서 확대배율만 높이는 것은 오히려 대비감도를 떨어뜨려 유령상이 확대되면서 그다지 효과적이지 않은 경우가 있다. 너무 높지 않은, 적절한 확대배율을 잘 선택하도록 한다.

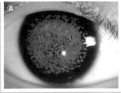 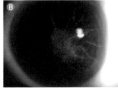 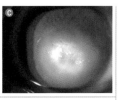

그림 9-1. **다양한 각막혼탁**
　　　　　A) 과립각막이영양증　 B) 격자각막이영양증　 C) 세균성각막염 후 각막혼탁

<증례1>
27세의 남자, 양안의 포도막염으로 인한 띠모양각막병증으로 치료 중이다.

주호소) 1년 반 전부터 독서가 어렵고, 최근에는 컴퓨터 작업하는 데에도 어려움을 겪고 있다.

평가과정)
1) 내원시력 : 우안 (0.02) / 좌안 (0.06)
　　현재 착용중인 안경 : 우안 +4.0 Dsph / 좌안 +3.5 Dsph : −2.0 Dcyl 90
2) 대비감도는 좌안에 비해 우안이 양호함
3) 굴절검사 : 각막혼탁으로 인해 빛띠가 안 보였다.
　　• 주관적 시력검사 시행하여 최대교정시력을 알아보았다.
　　• 우안 (0.1) +9.0 Dsph : −2.0 Dcyl 175
　　　좌안 (0.16) +10.0 Dsph : −3.0 Dcyl 180
4) predicted add 구하기
　　목표 시력이 0.4 (1M)이라고 하였을 때, predicted add는 Kestenbaum의 법칙에 근거하여 원거리 최대교정시력의 역수로 계산하면,
　　우안) 100/10 = +10 D, 좌안) 100/16 = +6.25 D

저시력재활과정)
1) 원거리 안경을 자각적 시력검사에 근거하여 처방하였다.
　　• 각막혼탁으로 인한 눈부심이 동반되어 있어 호박색 착색렌즈를 처방하였다.

2) 근거리작업에 있어서,

- 원거리시력이 양호한 좌안보다 대비감도가 양호한 우안으로 근거리 보기를 더 선호하였다.
- 따라서, 우안으로 근거리를 보기 위해 안경형저시력보조기구를 원한다면, 우안의 "구면렌즈대응치 (+8 D) + predicted add (+10 D)"를 구하여 +18 D 부터의 저시력현미경 안경착용을 시도하였다.
- 환자는 +24 D 저시력현미경 안경으로 근거리 작업에 만족하였다.
- 각막혼탁으로 인해 시력과 대비감도가 함께 저하되어 있었기 때문에, 예상되는 배율보다 높은 배율을 요하였다.

3) 휴대용확대독서기로 확대배율과 대비를 조정하면서 사용하도록 하였다.

- 특히 이는 대비감도가 낮은 학교숙제나 유인물들을 확인할 때 유용하게 사용하였다.

4) 원거리 작업에 있어서,

- 단안 8배 케플러망원경을 사용하여 실생활에서 버스나 거리간판 등을 확인하도록 하였다.

5) 컴퓨터작업을 돕기 위해,

- 컴퓨터확대프로그램을 소개하였다.

2) 백내장

백내장(그림 9-2)이 있는 경우 수술로 시력을 개선할 수 있으나, 만약 수술을 받기가 쉽지 않은 저시력인에서는 다음과 같은 방법을 취하도록 한다.

① 황색/오렌지색/호박색 계열의 착색안경이 대비감도를 높이고 빛번짐을 줄이는 데 효과적이다.

② 각막혼탁에서와 마찬가지로, 조명이 있는 확대경과 배율이 높은 확대경은 오히려 큰 도움이 안 된다. 대비강화경을 이용하고 반사차단코팅렌즈를 착용하면 좋다.

③ 특히 중심부에 작은 크기의 후낭 혼탁이 있는 환자에서는 동공을 살짝 키우는 것이 도움이 된다.

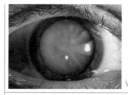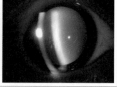

그림 9-2. 백내장에 의한 수정체 혼탁

3) 홍채이상

홍채는 눈으로 들어오는 빛의 양을 조절하는 역할을 하며, 중심부로 들어온 빛만이 망막에 도달하여 상을 맺게 하는 핀홀 기능을 하고 초점심도를 높여주는 역할을 한다.

(1) 축동된 경우,

① 각막질환이 있거나 주변부 백내장이 있는 환자에서는 동공크기가 작은 것이 핀홀효과를 내고 산란을 줄여 도움이 된다.

② 하지만, 망막질환이 있거나 진행된 녹내장 환자에서는, 동공이 작은 경우 전체적으로 망막까지 도달하는 빛의 양이 줄어들고 이로 인해 감도가 줄어들게 되므로, 경우에 따라 산동제 점안을 고려한다.

(2) 산동된 경우

① 수술후, 포도막염 후 유착으로 인해, 급성녹내장 발작 후, 선천무홍채증, 안구결손등으로 인해 동공이 커져 있는 환자들이 이에 해당한다.

② 눈부심과 빛의 양을 조절하기 위해, 축동제를 사용하거나 주변부가 착색된 콘택트렌즈를 착용하는 것이 도움이 된다.

③ 선천무홍채증(그림 9-3) 환자에서는 홍채의 이상뿐만 아니라 각막윤부결핍에 따른 각막이상이 동반되는 경우가 많으므로 콘택트렌즈 착용은 피한다.

④ 착색렌즈나 선글라스도 눈부심이나 빛번짐을 줄이는데 도움이 될 수 있다. 실생활에서 햇빛가리개나 모자를 사용하도록 한다.

⑤ 조도를 낮게 하는 것이 더 좋다.

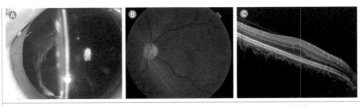

그림 9-3. **PAX6 유전자변이가 확인된 선천무홍채증 환자의 전안부 및 안저사진.**
(A) 홍채무형성(iris aplasia)으로 인한 동공산대
(B, C) 중심와무형성(foveal aplasia)으로 인해 중심와반사가 소실되어 있음.

4) 나이관련황반변성

나이관련황반변성(그림 9-4)으로 인한 저시력인이 전체 저시력 인구 중에서 차지하는 부분이 점차 높아지고 있다. 위축성황반질환은 보통 천천히 진행하는데, 중심부의 위축된 병변이 점차 늘어나거나 혹은 여러 개의 위축병변이 커지고 서로 합쳐지면서 시각 증상도 점차 심해진다. 한 글자씩 맞추는 시력(single-letter acuity)의 정도에 비해 읽기 속도가 더 저하되는 경향이 있다. 삼출성황반질환은 위축성과는 달리, 황반부에 있는 이상 혈관에서 출혈이 발생되었을 때 심한 시력저하가 갑자기 발생한다. 제대로 치료받지 못한 삼출성황반질환은 결국 원반형황반반흔을 만들어 심각한 시력저하를 일으킨다.

우리나라에서도 점차 황반변성으로 인한 저시력 인구가 늘어나고 있으므로, 안과적으로 이 질환에 대해 적절한 치료의 원칙뿐만 아니라, 저시력에 대한 재활치료에 대해서도 함께 알아두는 것이 필요하겠다. 이들 환자에서 저시력 치료의 주된 목적은 읽기능력을 향상시키는 것인데, 여러 연구 결과에서 적절한 저시력 보조기구를 사용하고 주시 훈련을 받음으로써 읽기속도와 정확성이 개선될 수 있다고 하였다.[4] 황반변성이 있는 환자에서 비교적 초기에 저시력보조기구를 사용하여 익혀두는 것이 추후에 질환이 점차 진행하면서 시기능이 나빠졌을 때 새로운 기구에 적응하고 독립적으로 생활해나갈 수 있도록 하는데 더욱 유리하다.[5] 망막클리닉과 저시력클리닉과의 연계가 필요한 중요한 이유이다.

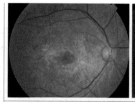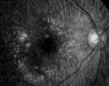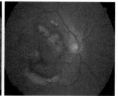

그림 9-4. **나이관련황반변성 안저 사진**

① 황반질환이 있는 환자에서는 배율과 조도를 높이는 것이 가장 기본적인 원칙이다.

초기 황반변성에서는 굴절이상을 정확히 교정하고 조도를 높이고 근거리작업에 필요한 도수를 높여 처방하는 것만으로도 읽기에 상당한 도움을 줄 수 있다.

② 모든 근거리 작업에 충분한 직접조명을 사용하는 것이 좋다.

여러 연구들을 통해, 조도를 높였을 때 나이관련황반변성 환자들의 읽기수행능력이 향상된다는 사실이 밝혀졌다.[6, 7] 흰 바탕에 검은 글씨로 적힌 책을 읽는 독서 작업을 할 때, 조도를 많이 높이면 눈부심이 심해져 불편함을 느끼는데, 이때 간단한 방법으로 대비강화경을 사용하면 눈부심이 줄어 들고, 책을 읽을 때 다음 줄을 찾는 데에도 도움이 된다.

③ 대부분의 환자에서 조명식 스탠드확대경이 도움이 된다. 조명식 기구를 이용할 때, 필요한 확대배율을 보다 낮출 수 있다.

④ 전자확대기에 대한 만족도도 좋으며, 검은 바탕에 흰 글자로 화면을 조정하면 (그림 9-5) 배율을 높이지 않아도 읽기에 도움이 되는 경우가 있다.[8]

그림 9-5. 배율 및 대비, 밝기를 조절할 수 있는 전자확대기가 나이관련황반변성 환자에게 유용하다. 특히, 검은 바탕에 흰 글자를 사용하면 배율을 많이 높이지 않아도 읽기 능력을 향상시킨다.

⑤ 중심외보기훈련[9] 및 대비를 증강시키는 방법을 활용한다(제7장 참고).

⑥ 프리즘편위(prism relocation)를 이용할 수 있는데 이는 프리즘을 이용하여 망막에 맺히는 상의 위치를 이동시키는 방법이다. 프리즘을 이용하여 변성되어 있는 황반이 아닌 상대적으로 건강한 망막 주변부(선호망막부위, preferred retinal locus)에 상이 맺히도록 하는데, 최근 발표된 여러 연구 결과를 종합하면, 약 76%의 환자가 프리즘 안경을 오랫동안 잘 유지하여 착용하였으며 시력이 개선되고 시선 방향을 바로 할 수 있다는 점에서 만족하였다.[10, 11]

⑦ 나이관련황반변성 환자들의 많은 수에서 우울과 불안이 동반되기도 한다.[12] 심리적 지지를 함께 받은 환자들이, 우울 및 불안감이 낮아지고 자신감이 향상되었으며 저시력보조기구를 보다 더 적극적으로 활용하였다.[13]

나이관련황반변성 환자에서의 저시력재활 접근법

- 남아있는 시기능을 정확히 평가한다.
- 확대 및 대비감도와 조도를 높인다.
- 근거리 작업시 충분한 직접조명을 활용한다.
- 선호망막부위를 찾아서 중심외보기를 하도록 훈련한다.
- 보행과 일상생활을 도울 수 있는 훈련기관에 연계한다.
- 시기능저하와 관련되어 나타나는 우울 및 불안과 같은 심리적 변화를 함께 보살핀다.

<증례2>
64세의 남자, 양안의 나이관련황반변성으로 치료중이다.

주호소) 직업이 회계사였으며, 근거리 작업을 어려워 하였다.
　　　　시력이 나빠지면서 수년전부터는 안경없이 생활해 오고 있다.

평가과정)
1) 나안시력 양안 0.06
2) 교정시력 우안 (0.125) +3.5 Dsph : −1.0 Dcyl 90/좌안 (0.2) +4.0 Dsph : −2.0 Dcyl 90
3) predicted add 구하기
　　목표시력이 0.4 (1M)이라고 하였을 때, predicted add는 Kestenbaum의 법칙에 근거하여 원거리 최대교정시력의 역수로 계산하면,
　　우안) 1000/125 = +8 D, 좌안) 100/20 = +5 D

저시력재활과정)
1) 원거리 안경을 처방하고 착용하도록 하였다.
2) 환자가 근거리용 안경형보장구를 원하였으므로,
　　– 시력이 보다 좋은 좌안을 기준으로

- 구면렌즈대응치 + predicted add = 3 + 5 = +8 D
- +8 D부터 시작하여 프리즘반안경을 시도하였다.
- 환자는 +10.0 D (12 PD base in prism, OU)의 프리즘반안경으로 근거리 작업에 만족하였다.
- 프리즘반안경을 착용한 상태에서 10cm 거리에서 읽도록 훈련하였다.
3) 2배 조명식 손잡이확대경을 처방하였다.
- 가격표, 영수증, 은행통장 등을 확인하는 근거리 작업때 사용하도록 하였다.
4) 집안에서 조명등을 잘 활용하도록 설명하였다.

5) 근시망막변성

근시망막변성이 있는 저시력인에서는 고도근시를 갖고 있다는 점을 고려해야 한다(그림 9-6).

(1) 먼저 굴절이상을 교정한다.
   ① 콘택트렌즈는 같은 도수의 안경과 비교했을 때 상대적으로 상을 덜 축소시키는 장점이 있다. 또한 콘택트렌즈는 높은 도수의 안경에서 나타나는 주변부 상의 왜곡이나 프리즘효과가 없다.
   ② 안경을 착용할 때에는 작은 크기로, 반사차단코팅이 되어 있는 고굴절렌즈를 사용하여 안경렌즈 두께를 줄이도록 하고, 이를 통해 주변부 상의 왜곡이나 프리즘 효과를 줄일 수 있다.

(2) 고도근시로 인한 저시력인들의 경우, 다른 질환과 비교하여 근거리작업 및 읽기에서 불편함을 덜 느낀다. 예를 들어 −6 디옵터 근시 환자가 안경을 벗으면 이미 6디옵터 만큼의 확대안경을 쓴 것과 같은 효과를 갖는다.

(3) 고도근시를 동반한 저시력인에게 근거리작업을 위해 확대율이 높은 저시력 보조기구를 처방할 필요는 없다. 근거리 확대를 위해 평소 안경 대신 환자가 원하는 작업거리에 맞춘 저시력현미경을 사용할 수 있다. 원거리, 근거리 모두에서 확대기구들이 도움이 된다.

(4) 야간에는 손전등이, 근거리 작업할 때는 직접 조명이 유용하다.

(5) 고도근시에 의한 황반변성이 동반된 환자에서 중심외보기훈련을 시도할 수 있다(제7장 참고).

<증례3>

70세의 남자, 이전 직업은 교사였다. 좌안은 원래 고도근시로 인한 약시로 우안으로 생활해오고 있었으나, 최근 우안에 황반변성 및 출혈로 치료중이다.

주호소) 원래 우세안이던 우안이 나빠지면서 생활하기가 힘들다.

평가과정)
1) 내원시 시력
   우안 (0.02 X +1.0 Dsph) 좌안 (0.02 X +1.0 Dsph)
2) 최대교정시력
   우안 (0.02) +1.0 Dsph
   좌안 (0.25) −11.0 Dsph
3) 대비감도는 좌안이 우세하였다.
4) predicted add 구하기
   목표 시력이 0.4 (1M)이라고 하였을 때, predicted add는 Kestenbaum의 법칙에 근거하여 원거리 최대교정시력의 역수로 계산하면,
   우안) 100/2 = +50 D, 좌안) 100/25 = +4 D

저시력재활과정)
1) 안경을 재처방하였다.
   – 최근 우안이 나빠지기 전까지 우안의 굴절력에 맞추어 좌안의 고도근시를 교정하지 않은 안경을 착용하고 있었다.
   – 좌안에 −11.0 D 안경을 착용하고 원거리 시력이 0.25까지 교정되었으므로 새로운 안경에 적응하도록 하였다. 우세안이 바뀌는 경우 적응하는데 오래 걸릴 수 있다.
2) 근거리작업에 대하여
   – 좌안 (−11 D) 나안으로 약 10cm 작업거리에서 1M 시표를 읽을 수 있었다.
   – 근거리용안경을 원할 경우, 구면렌즈대응치 + predicted add = −11.0 D + 4 D = −7 D
   – 근거리용안경으로는 −7.0 D 안경을 처방하였다.
   – 조명식 손잡이확대경을 처방하여 가격표, 영수증, 은행통장 등을 확인할 때 사용하도록 하였다.

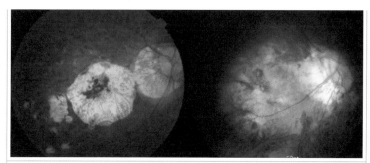

그림 9-6. **고도근시와 관련된 황반변성**

6) 당뇨망막병증(그림 9-7)

다른 원인질환을 갖는 환자들과 달리 당뇨망막병증 환자들의 가장 큰 시각적인 특징은 시력이 망막상태나 굴절력에 따라 변하는 것이다. 범망막레이저 광응고술은 당뇨망막병증 환자에서 반드시 필요한 치료법이긴 하지만 시기능에 적지 않은 영향을 주는데, 주변부 망막감도와 대비감도가 저하되고 야간 이동을 힘들게 한다. 당뇨망막병증으로 인한 저시력인에서는 확대 및 대비를 높이는 데 중점을 둔다.

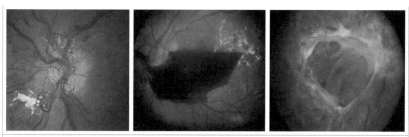

그림 9-7. **당뇨망막병증에서 동반된 신생혈관, 망막출혈 및 견인망막박리**

(1) 당뇨환자에서는 혈당 수치에 따라 수정체의 부종이 변하면서 굴절력이 달라진다. 혈당만 잘 관리해도 굴절력 변화로 인한 시력의 변동은 줄일 수 있다. 혈당이 안정화된 후 굴절력의 변동이 없음을 확인하고 안경처방을 하는 것이 바람직하다.

(2) 당뇨망막병증이 진행성이고 시력에 변동이 있기 때문에 저시력 보조기구를 처방하는 것이 쉽지 않지만, 이러한 이유로 환자의 시력이 안정될 때까지

계속 저시력 보조기구의 처방을 미루어서도 안된다. 또한 환자들에게 시력 상태 변화에 따라 여러 확대기구가 필요할 수 있다는 사실도 미리 알려둔다. 이러한 점에서, 전자확대기는 확대배율을 조정할 수 있고, 대비감도도 조정할 수 있으므로, 당뇨망막병증 저시력인에서 유용하다.

(3) 당뇨망막병증 환자에서는 대비감도를 높이고 눈부심을 줄여주어야 한다. 대비감도가 저하되어 있으므로 근거리작업시 직접조명을 이용한다. 청색파장을 차단하는 착색렌즈를 착용하면 대비감도가 증진되고, 눈부심과 빛번짐을 줄이는 데 효과적이다.

(4) 황반부종 혹은 이로 인한 황반변성이 동반된 환자에서는 중심외보기훈련을 시도한다.

당뇨망막병증 환자에서의 저시력재활 접근법

- 혈당에 따라 굴절이상이 변할 수 있다.
- 굴절력, 유리체출혈정도, 황반부종 정도에 따라 시력의 변동이 심하다.
- 근거리작업시 직접조명을 이용하도록 하고, 확대경을 처방한다.
- 망막과 황반부 이상에 따라 눈부심을 호소하는데, 청색파장을 차단하는 착색안경을 착용한다.

7) 망막색소변성

망막색소변성 환자들은 주변시야가 점차 좁아지고 밤눈이 어두워진다(그림 9-8). 추체세포와 간체세포의 손상정도와 시기는 환자마다 다르다.

(1) 망막색소변성 환자들은 근시 및 난시 동반 비율이 높기 때문에 굴절이상에 대한 교정이 필요하다. 제대로 교정이 안 된 근시는 야맹증을 더욱 악화시킨다.

(2) 야맹증에 대해서, 아래와 같은 방법을 사용해 볼 수 있다.

① 간체 기능이 떨어지면서 어두운 곳에서 더 심한 시력변화를 느끼는데, 이 때 적절한 조명과 대비를 활용하는 것이 증상을 줄일 수 있다. 휴대용 조명등을 갖고 다니는 것도 유용하다.

② 야간투시경(nightscope)을 착용한다. 야간에 적은 양의 빛을 증폭시켜 세밀히 볼 수 있도록 하기 위해 미군에서 1960년대 처음으로 사용되었는데, 최근 무게

와 크기가 작아지고 비용이 싸지면서 실제 생활에서 저시력인들도 사용할 수 있게 되었다.

(3) 눈부심 증상을 완화하는 데에는 착색렌즈를 착용하는 것이 유용하다. 일반 선글라스는 모든 파장을 차단하기 때문에 오히려 눈에 들어오는 광량을 감소시켜 더욱 불편하게 할 수 있다. 광수용체에 손상을 줄 수 있고 눈부심을 줄여주는 착색렌즈를 착용하면, 대비감도가 좋아져서 주관적인 시력이 향상되고, 광순응 및 암순응이 보다 쉬워지며, 눈부심도 감소된다.

(4) 중심시력저하와 관련하여,

① 망막색소변성 환자들에서는 보통 약 30대부터 후낭하백내장이 동반되는 경우가 많다. 주변시야가 좋지 않음을 고려할 때, 약 2mm 정도 크기의 후낭하백내장만 있어도 매우 불편하게 느낄 수 있다. 경우에 따라서는 조기에 백내장 수술을 하기도 한다. 착색안경은 특히 후낭하백내장이 있는 환자에서 빛번짐을 감소시키고 대비감도를 증가시키는 데 도움이 된다.

② 낭포황반부종이나 중심부 광수용체가 변성되면서 중심시력이 저하된 경우도 있다. 낭포황반부종에 대해서는 적극적으로 치료하는 것이 바람직하다. 중심시야결손이 있는 경우 원거리나 근거리 확대기구를 사용한다. 그러나 경과가 진행된 환자에서는, 녹내장과 마찬가지로 주변부 시야가 좁아져 있기 때문에 확대 배율을 너무 높이는 것은 주의해야 하는데, 확대된 상이 시야 밖으로 벗어날 수도 있기 때문이다. 확대독서기와 같은 전자확대기는 확대와 밝기, 대비감도를 증가시키므로 유용하다.

(5) 주변부 시야협착에 대해 손잡이식 마이너스렌즈나 역상망원경으로 시야를 확장시킬 수 있다. 또한 프리즘이나 거울을 부착한 특수안경이 주변부를 인지하는데 도움을 줄 수 있다.

(6) 프리즘을 통한 주변부 시야확장도 시도된다(제8장 참고). 주변부 시야협착으로 인해 보행에 어려움을 느끼는 경우 지팡이를 이용한 보행 교육과 야간엔 손전등을 이용하도록 한다.

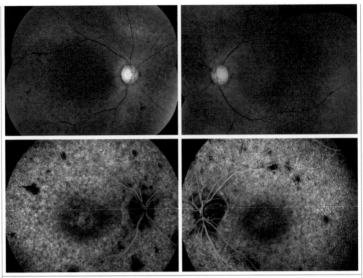

그림 9-8. **망막색소변성 안저 및 형광안저촬영 소견**

8) 녹내장

녹내장 환자들은 서서히 악화되어 상당한 정도의 시력저하와 주변부시야협착이 동반되는 말기가 될 때까지 대부분 스스로 시각증상을 자각하지 못하며, 따라서 저시력 관리를 제때 받지 못한다(그림 9-9). 시야협착 이외에 환자들이 호소하는 주증상은, 전반적으로 어둡다는 느낌과 대비감도의 저하이며 이러한 증상은 어두운 곳에서 더욱 심해진다. 또한 빛번짐 증상도 같이 있으므로 적당한 조명을 활용하는 것이 좋다. 황색 계열의 착색안경을 착용하고 대비강화경을 사용하도록 한다.

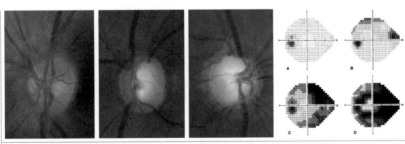

그림 9-9. **녹내장 진행에 따른 시신경 및 시야결손의 변화**

(1) 중심시력은 보존되어 있으나 시야가 많이 좁아져 있는 녹내장 환자들은 방향을 정확히 찾고 이동하는데 어려움을 겪는다.

① 마이너스렌즈나 역상망원경를 이용하여 상을 축소시켜, 시야 범위를 확대한다.

② 프리즘이나 거울이 부착된 특수안경을 사용할 수 있다.

③ 녹내장 말기 환자에서 시야협착으로 지각 능력과 운동능력이 저하되므로, 이들에게 지팡이를 이용한 보행 연습을 하도록 지역의 시각장애복지관 등에 의뢰한다.

④ 야간에는 손전등을 사용하는 것이 유용하다.

(2) 확대 기구는 일부 녹내장 환자에게 유용하지만 시야 협착 정도에 따라 적용한다.

① 시야가 좁은 녹내장 환자에게 높은 확대 배율을 적용하는 것은 가용 시야범위를 감소시켜 오히려 읽기속도를 떨어뜨리는 등 불편함을 가중시키므로 주의한다.

② 환자가 필요로 하는 최소한의 확대배율을 선택한다.

③ 조명식확대경이 선호되나, 눈부심을 유발하는지 살펴야 한다.

④ 확대 배율뿐 아니라 밝기와 대비감도를 조절할 수 있는 전자확대기가 유용하다.

(3) 빛번짐과 눈부심을 줄여야 한다.

① 독서시에 구부려지는 스탠드조명을 이용하여 원하는 곳에만 빛을 비추도록 한다(그림 9-11A).

② 근거리나 원거리 모두 과도한 조명은 대개 도움이 되지 않는다.

③ 착색렌즈는 대비감도를 향상시키고 빛번짐을 감소시키는 데 효과적이다. 황색계열의 착색안경을 착용하고, 모자나 선바이저를 착용한다.

④ 대비강화경을 사용하는 것이 도움이 된다. 특히, 글을 읽을 때 대비강화경에 황색계열의 투명 필터를 붙여서 사용하면 효과적이다(그림 9-10 B,C).

 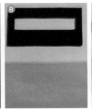 

그림 9-10. **녹내장환자에서 유용한 비광학적 도구**
　　　　　A) 구부려지는 스탠드(gooseneck lamp, flexible-armed lamp)
　　　　　B) 황색필터와 대비강화경을 함께 독서할 때 사용한다.
　　　　　C) 황색필터와 함께 1.5배 확대시켜주는 집광확대경(1.5 X yellow Lucite magnifier)

녹내장 환자에서의 저시력재활 접근법

- 확대기를 사용할 때는 환자가 필요로 하는 최소한의 확대율을 적용한다
- 대비감도가 저하되어 조도를 높이는 것이 유리하나 눈부심 증상도 심하므로 함께 고려한다.
- 조명식 확대기와 대비감도와 밝기를 조절할 수 있는 전자확대기가 유용하다.
- 눈부심을 줄이기 위해 황색계열 착색안경을 착용하고 조명에 유의한다.
- 좁은 시야에 대해서는 마이너스렌즈, 역상망원경, 프리즘을 이용한 시야확대 등을 시도한다.

<증례4>
72세의 남자, 양안의 녹내장으로 치료중이다.

주호소) 녹내장으로 치료 받던 중 최근 노년백내장이 진행하면서 책읽기에 어려움을 호소하였다.

평가과정)
1) 내원시력 : 우안 (0.32) / 좌안 (0.32)
　　현재 착용중인 안경 : 우안 +1.0 Dsph : -2.25 Dcyl 70 / 좌안 +1.5 Dsph
　　　　　　　　　　　　　:-1.75 Dcyl 110 ADD +3.0 D (양안)
2) 최대교정시력
　　우안 (0.4) +1.50 Dsph : -2.25 Dcyl 90 ADD +3.5 (0.5 즉 0.8M)
　　좌안 (0.4) +2.0 Dsph : -1.75 Dcyl 90 ADD +3.5 (0.5 즉 0.8M)
3) 시야: 우안은 15도 좌안은 10도 남아 있음

저시력재활과정)
1) 원시돗수를 조정하고 난시축을 조정하여 원거리 시력이 다소 향상되어 안경을 재처방하였다.
2) 근거리 작업에 대하여
  - 기존안경보다 +0.5 D 증량한 이중초점안경을 착용하니 확대경없이 글을 읽을 수 있었다.
  - 조명등을 활용하도록 교육하였다.
  - 일반적으로 기존의 이중초점안경을 최대한 활용하고자 할 때 adding power를 보통 +5.0까지 높일 수 있으며 이때 adding power를 높이면 더 가까이서 봐야 하는데, 시야가 좁은 녹내장환자는 근거리작업거리가 가까워질수록 더욱 시야가 좁아지고 힘들게 느낀다.
  - 따라서, 환자에서는 재처방된 안경을 착용하도록 하고, 2배 집광확대경을 함께 사용하도록 하여 근거리 작업거리를 너무 가깝게 하지 않도록 교육하였다.
3) 보행시 어려움에 대하여,
  - 해질녘, 어두울 때나, 매우 붐비는 곳에서는 보행을 위한 지팡이 (mobility cane)을 이용하도록 하였다.

9) 시신경질환

시신경질환이 있는 저시력인들은 시력저하와 더불어 시야결손, 대비감도의 저하, 눈부심, 색각이상 등을 함께 호소한다.[14] 주로 중심 혹은 맹점중심암점이 발생하는데, 에탐부톨 등 약물 복용 후에 발생한 독성시신경병증 이외에 시신경염, 허혈시신경병증, 압박시신경병증 등이 원인질환이 될 수 있다. 일반적으로 시신경질환에 의한 중심암점은 망막질환에 의한 경우보다 더 크고 짙은 경우가 많아서, 저시력보조기구를 처방하는 것이 쉽지 않다. 시신경질환에 의한 시각장애는 비교적 젊은 연령에서 겪는 경우가 많으므로, 이들에게 지속적으로 저시력 재활치료를 받도록 하는 것이 중요하다.

(1) 굴절검사를 정확히 하고, 최대시력이 나오는 안경을 처방하는 것이 기본이다.
(2) 대비감도를 높이는 방법을 활용한다.

환자들의 대부분은 시력과 함께 대비감도도 저하되므로 시력에 비해 불편함을 더 심하게 느낀다.[15] 독서할 때 느끼는 어려움이 확대경만으로 좋아지지

않는다면, 대비감도를 변화시켜 보는 것이 좋다. 간단하게는 유색투명지를 덧대어 대비감도를 변화시키거나, 컴퓨터 작업시 일반적인 흰 바탕에 검은 글씨의 조합을 바꾸어 보는 것도 도움이 된다.

(3) 착색렌즈를 착용하면, 특정파장의 빛이 선택적으로 차단되어 대비감도가 향상되고 눈부심을 감소시킬 수 있다.

(4) 시야결손이 동반된 시신경질환 환자에 있어서는,

① 녹내장, 허혈시신경병증 등, 시신경위축과 더불어 시야 협착이 있는 환자에서는 시야를 확대하기 위한 마이너스렌즈 혹은 역상망원경이 도움이 된다.

② 뇌경색이나 압박시신경병증 후 발생한 반맹, 사분맹 환자에서는 프리즘을 이용한 시야확대를 시도해본다.

③ 중심암점 혹은 맹점중심암점을 갖는 환자에서는 중심외보기훈련을 시도한다 (제7장 참고).

\<증례5\>
11세의 남아, 양안의 선천시신경위축으로 진료중이다.

주호소) 학교수업을 따라가기 어렵다. 글읽기가 어렵다.

평가과정)
1) 내원시력 : 우안 0.05, 좌안 안전수동
2) 굴절력 : 양안 모두 정시안이었음.
3) 최대교정시력
   우안 0.05 / 좌안 안전수동
4) predicted add 구하기
   목표 시력이 0.4 (1M)이라고 하였을 때, predicted add는 Kestenbaum의 법칙에 근거하여 원거리 최대교정시력의 역수로 계산하면,
   우안) 100/5 = +20 D

저시력재활과정)
1) 근거리작업에 대하여,
   – 우안에 +20 D부터 저시력현미경안경부터 적용하여 근거리시력을 측정하였고, +24 D(6배) 더블릿렌즈안경을 착용하였을 때 작은 글씨를 만족할 정도로 볼 수 있었다.
   – 6배 손잡이확대경을 함께 처방하였다.
   – 독서대를 사용하도록 교육하고 올바른 자세를 알려주었다(그림 9-11).
   – 독서할 때 대비강화경을 사용하도록 교육하였다.

2) 원거리작업에 대하여,
 – 칠판을 보기 위한 목표시력을 0.4이라 하면, 우안(0.05)을 사용할 때 목
   표배율 8배이고 실제로 8배 손에 쥐는 케플러망원경을 사용하였을 때
   만족하였다.
3) 학습을 돕기 위하여,
 – 원근양용 확대독서기를 사용하도록 하였다.
 – 학습할 때, 문자음성전환기나 프로그램을 이용하도록 교육하였다.

그림 9-11. **독서대 사용과 올바른 자세**
배율이 높은 저시력보조기구를 사용하는 환아들은 작업거리를 가까이 유
지해야 하므로 어려움을 겪는다. 독서대를 이용하여 책상에서 45도 정도
위로 기울여진 상태로 독서대상을 놓고 시선을 독서 면에 수직으로 두는
자세가 바람직하다.
A) 독서대를 이용하지 않은 잘못된 자세
B) 독서대를 이용한 바른 자세

10) 뇌질환과 연관된 시각이상

시각이상을 유발하는 뇌질환으로 가장 흔한 원인은 뇌경색이며 다른 원인
들로는 외상성뇌손상, 뇌종양, 뇌 수술 등이 있다. 뇌졸중을 겪은 환자들 중의
약 30-85%정도에서 시각적인 문제가 동반된다고 한다. 시각장애와 더불어,
보통 인지나 운동기능의 저하, 이동장애 등이 동반되는 경우가 많기 때문에
저시력재활의 검사 및 치료방침을 세우는 데 보다 더 신경써야 한다. 여기서
는 뇌질환으로 인한 시력저하나 시야장애를 겪는 환자에 대한 저시력재활의

원칙을 알아보도록 한다.

(1) 시력저하

정확한 굴절검사에 근거한 안경을 착용하도록 하는 것이 기본이다. 하방으로의 눈운동이 제한되어 있는 환자에서는 이중초점안경보다는 근거리, 원거리용 안경을 따로 처방하는 것이 바람직하다. 뇌졸중에 의한 시력저하 환자들의 대부분도 저시력보조기구를 통한 확대에 만족도가 높은 편이다. 다만 환자가 뇌졸중 환자임을 고려하여 적합한 보조기구를 선택할 때 신중해야 한다. 예를 들어 뇌졸중으로 인해 우측 편마비가 된 오른손잡이 환자에게는 손잡이확대경보다는 안경형을 선택하는 것이 바람직하다.

(2) 시야장애

시각경로 중 어느 부위를 손상받느냐에 따라 다양한 시야장애가 동반될 수 있다. 주변부 시야를 정상적으로 인지하는 것이 방향을 찾고 이동하는데 필수적이기에, 뇌질환으로 인한 주변부 시야장애를 겪는 환자들은 어지러움을 느끼고, 읽기와 같은 기본 활동에서 어려움을 겪게 된다. 여기서는 주로 동측시야장애가 있는 환자에게 적용할 수 있는 방법에 대해 알아보기로 한다. 동측반맹은 양안에서 같은 방향으로 시야의 절반을 잃어버리는 것을 의미하며, 이는 대부분 시신경 교차 뒤쪽으로 병소가 있을 경우 발생하며 대뇌 병소의 반대쪽으로 나타난다. 특히 뇌경색 환자의 30%에서 동측반맹이 발생하는 것으로 보고되었으며 이러한 환자들 대부분은 손실된 시야가 회복되지 않는다. 동측반맹 환자들은 시야결손이 있는 방향 쪽의 물체를 인지하는데 어려움이 있어 운동성이 떨어지는 경향을 보인다. 환자의 주시방향에 따른 머리방향의 변화를 가져오는 데 미용적인 이유로 환자들의 일상생활에 방해를 주기도 한다. 동측반맹 환자들에 대한 시각 재활 방향은 시기능훈련, 상실된 시야에 대해 보상적인 시각훑기훈련, 보조기구를 이용한 방법이 있다.

특히 많이 이용되는 보조기구에는 확대경, 현미경, 망원경 등의 확대기구나 거울이 달린 안경, 역상망원경, 마이너스렌즈, 프리즘 등을 이용한 것, 또는 착색안경과 대비강화경, 조명을 조절하는 것 등이 있다. 이중에서 시야의 이동에 실질적으로 많이 이용되는 것이 프리즘으로서 이는 빛을 이동시켜 상을 프리즘의 꼭지점 쪽으로 옮겨주는 역할을 하게 된다. 전체 혹은 부분프리즘을 이용한 시야의 확대 혹은 재배치 방법에 대해서는 제8장을 참고하도록 한다.

동측반맹 환자의 많은 수가 읽기 활동에 어려움을 겪는다. 독서할 때, 좌측 반맹 환자는 다음에 읽을 줄의 첫 칸을 찾는데 어려움을 겪고 우측반맹 환자는 좌측에서 우측으로 읽어나갈 때 우측에 있는 문단 끝부분을 읽어내기가 쉽지 않다. 가장자리가 표시되어 있는 반맹독서카드(hemi-reading card)를 이용하거나, 좌우측 시야장애로 인해 가로 방향보다 세로 방향으로 읽기가 편하기 때문에 책을 90도로 돌려서 세로방향 읽기를 시도해보는 것도 좋은 방법이다(그림 9-12).

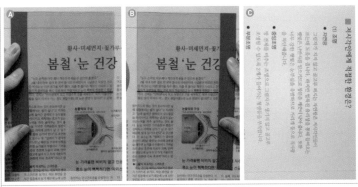

그림 9-12. **동측반맹으로 인한 책읽기 어려움을 도울 수 있는 방법**
A) 좌측반맹 환자의 독서를 돕기 위한 반맹독서카드
B) 우측반맹 환자의 독서를 돕기 위한 반맹독서카드
C) 세로방향읽기

11) 눈떨림

(1) 굴절이상을 교정하여 시력을 향상시킨다. 일부 눈떨림 환자들은 특정 방향으로 주시할 때 눈떨림의 진폭이 감소하면서 가장 좋은 시력을 나타내게 된다.

(2) 이러한 환자들은 가장 좋은 시력이 나오는 방향으로 머리 위치를 둔다. 이런 환자에게는 프리즘 안경을 사용하면 정면을 보는 방향에서 최적의 시력이 나오도록 해줄 수 있으며 동반된 머리돌림을 교정할 수 있다.

(3) 선천눈떨림 환자에서도 원거리나 근거리에 대한 확대기구를 처방할 수 있는데, 이 경우 단안기구보다는 양안기구가 유용하다.

12) 미숙아망막병증

(1) 근시성 굴절이상이 많은 예에서 동반되어 있는데 이는 안경이나 콘택트렌즈로 교정한다. 미숙아망막병증으로 치료받은 환아의 굴절력에 대한 국내

연구에서도 생후 6개월부터 근시가 많은 예에서 관찰되기 시작하여 3세까지 근시 정도가 진행한다고 하였다.[16] 이 시기가 시각발달에 가장 중요한 시기인 만큼, 반드시 정확한 굴절검사에 근거한 교정을 시행해야 한다.

(2) 확대경이나 망원경, 현미경 같은 확대기기들이 도움이 된다.

(3) 눈부심을 방지하기 위해 다양한 착색렌즈와 필터를 이용한다.

(4) 근거리에서는 직접 조명이 유용하다.

(5) 주변 시야장애가 동반되어 있는 경우 보행훈련 및 시야인식시스템 등이 도움이 된다.

13) 백색증

백색증 환자의 시력저하의 범위는 0.5에서 0.02에 이르기까지 다양하게 보고되고 있다. 백색증 환자에 있어서 시력교정의 정도는 중심와저형성과 강한 상관관계를 보인다. 백색증 환자의 저시력은 굴절이상, 황반형성부전, 눈떨림 등 다양한 요인에 의해서 발생한다(그림 9-13). 이러한 백색증 환자는 망막이상 또는 눈떨림 등 여러 요인 때문에 안경처방에도 불구하고 만족할 만한 시력 호전을 보이기 힘들며, 환자들의 주된 문제인 독서 또는 운전 등을 해결하고 삶의 질을 향상시키기 위한 저시력 기구의 사용이 필요하다.

(1) 가장 먼저 굴절이상을 교정한다. 굴절교정을 하여 시력을 향상시키고 눈떨림을 감소시킬 수 있다. 백색증 환자 15명을 대상으로 한 국내 연구에서 대상환자 모두 2디옵터 이상의 난시를 가지고 있었으며 굴절이상 교정 후 통계적으로 유의한 시력회복을 보였다.[17]

(2) 홍채의 색소가 소실되어 빛이 과다하게 투과되면서 눈부심을 심하게 호소한다. 이를 감소시키기 위하여 선글라스, 착색렌즈, 컬러콘택트렌즈, 햇빛가리개, 모자를 사용한다.

(3) 백색증 환자는 중심시야나 주변부시야결손이 없기 때문에 저시력 확대기구를 사용하는데 좋은 적응대상이 된다. 원거리 망원확대경도 사용해볼 수 있다.

(4) 백색증에 대한 유전상담도 필요하다.[18]

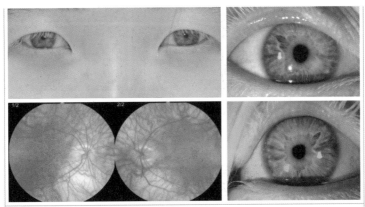

그림 9-13. OCA1 유전자에 변이가 확인된 백색증 환자의 전안부 및 안저 사진

14) 추체이영양증

유소아때부터 시력저하가 진행되며 안저검사에서 병변이 뚜렷하지 않은 경우 굴절이상에 의한 약시로 오랜기간 오진되어 치료받는 경우가 있으니 주의한다. 그림 9-14에서 보는 바와 같이, 점차 진행하여 많은 경우 중심시력에 심각한 장애를 초래하므로, 저시력 치료의 대상이 된다. 어릴 때 발병하기 때문에 스스로 중심외보기 방법을 터득하기도 하고, 일상생활에서 크게 어려움을 느끼지 않는 경우도 있으나, 중심시력이 상당히 저하되면서 많은 환자들이 학습에 어려움을 겪는다.

(1) 간혹 추체이영양증으로 인해 심한 눈부심이 동반되어 눈을 뜨기조차 어려워하는 아이들도 있다. 모자나 컬러콘택트렌즈, 착색안경 등이 도움이 된다. 특히, 오렌지 혹은 붉은 계열의 착색렌즈(예를 들어, Corning Photochromic Filter CPF 550)가 도움이 된다고 하는데, 붉은 신호를 알아보는 것에 영향을 줄 수 있으므로 운전시에는 착용하지 않도록 한다.

(2) 간혹 초기 안저검사에서 병변이 뚜렷하지 않은 아이에서, 단순 굴절 이상에 의한 약시나 꾀병으로 오인받을 수 있으므로 주의한다.

(3) 중심외보기훈련을 시행한다.

(4) 확대독서기, 각종 확대경, 대비강화경을 이용한다.

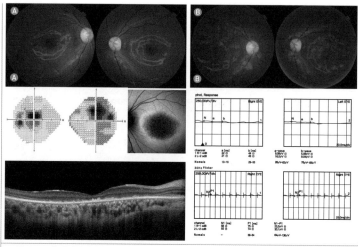

그림 9–14. **추체이영양증으로 진단받은 8세 남아**

A) 초진시에는 안저병변이 명확하지 않으나, 시력저하와 더불어 시야검사에서 중심 암점, 망막전위도검사에서 추체 파형 소실, 황반부 빛간섭전산화단층촬영에서 망 막외층에서의 광수용체층의 이상 소견과 망막자가형광촬영에서 황반부위에서 검 은 저형광이 관찰된다.

B) 3년 후 안저사진에서 황반부의 변성이 보다 커지고 뚜렷해짐을 알 수 있다.

<증례6>

24세의 여대생, 추체이영양증으로 치료중이다.

주호소) 학교에서 수업받을 때 파워포인트 슬라이드 보기를 힘들어하였다.

평가과정)

1) 내원시력: 우안 0.08, 좌안 0.06

2) 굴절력 : 양안 모두 정시안이었음.

3) 대비감도는 양안이 비슷하였음.

4) predicted add 구하기

우안) 100/8 = +12.5 D, 좌안) 100/6 = + 16.7 D

저시력재활과정)

1) 원거리작업에 대하여,

 − 칠판을 보기 위한 목표시력을 0.4이라 하면, 우안 (0.08)을 사용할 때 목 표배율 5배이다.

 − 환자는 수업 중 파워포인트 슬라이드를 보면서 함께 필기하기를 원하였 기에, 손잡이식보다는 안경부착형망원경을 사용하는 것이 바람직하였다.

- 여기서 바이옵틱안경부착형망원경이라 함은, 일반안경렌즈의 상측부에 원거리용 기구가 부착되어 있는 형태를 말하며, 평소에는 환자의 굴절력에 맞는 기존안경부위를 통해 생활하고, 슬라이드를 볼 때는 상측부위에 부착된 망원경 부위를 이용한다(그림 9–15).
- 확대율을 높이면 1.0 시표까지 볼 수 있었으나 시야가 좁아지므로 본인이 원하는 작업이 가능한 최소의 확대율을 적용하였다.

2) 학습을 위하여
- 5배 비조명식 손잡이확대경을 처방하였다.
- 확대독서기를 사용하고, 컴퓨터확대프로그램을 이용하였다.

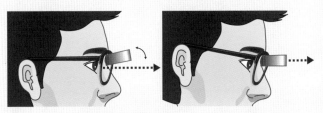

그림 9–15. **바이옵틱안경부착형망원경(bioptic–mounted telescope)**

2. 유전안질환의 상담(genetic counselling)

시각장애를 일으키는 원인질환으로 다양한 유전안질환이 포함된다. 아쉽게도 아직까지는 유전안질환 환자에게 시력을 회복시키는 치료방침을 제시하기는 힘드나, 환자를 일차로 돌보는 안과의사로서 다음과 같은 역할을 수행하여야 한다. 특히 유전안질환을 확진받는 환자들의 심리적인 부분에 대한 지지가 반드시 필요하며, 진단 이후의 대책, 저시력재활에 대한 정보, 앞으로의 치료 전망 및 계획에 대한 상세한 설명이 함께 이루어져야 한다.

- 정확한 진단하에 앞으로 일어날 수 있는 경과 및 예후를 잘 설명한다.
- 질환과 관련되는 합병증에 대한 예방 및 치료에 최선을 다 한다.
- 대부분의 유전안질환 환자의 시력이 나쁘기에 이 책에서 소개한 다양한 저시력 재활방법을 적용시킨다.
- 현재 진행중인 연구에 대해 설명하고, 추후 유전자치료나 재생치료를 위해 원인유전자검사 정보가 도움이 될 수 있음을 설명한다.
- 유전상담을 한다.

정확한 진단을 위해서는, 먼저 환자의 병력와 가족력을 잘 청취하는 것이 무엇보다 중요하다. 가계도를 작성함으로써 유전양식을 파악하며, 이에 따라 형제자매 및 자녀에게 발병될 확률을 추정해볼 수 있다(그림 9-16). 이 때 환자나 가족들이 자신의 질환이나 상태에 대해 감추려는 경향이 있으므로, 문진만으로는 정확한 평가가 어렵고, 환자와 이환여부에 관계없이 검사가 가능한 가족들의 눈검사를 철저히 하는 것이 필요하다.

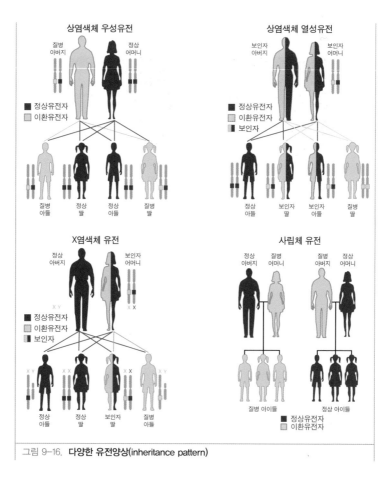

그림 9-16. **다양한 유전양상**(inheritance pattern)

안과 영역에서도 최근 몇십년 사이에 다양한 원인유전자가 밝혀져왔으며, 이를 토대로 진단과 치료의 패러다임이 바뀌고 있다. 유전안질환을 다루는데 있어 분자유전학적 검사를 통한 진단법이 진찰의 주요한 부분이 되고 있으며 이를 통해 질환의 발병기전이 밝혀지고 새로운 치료법이 제시되기도 한다. 국내에서도 다양한 각막이영양증, 무홍채증, 백색증, 망막이영양증, 망막색소변성, 선천백내장, 선천녹내장, 레버씨유전시신경병증, 상염색체우성시신경병증, 수정체탈구, 가족성삼출성망막병증 및 레버선천흑암시 등에 대한 유전자 검사를 통한 진단 및 유전상담 연구결과들이 보고되고 있으므로 이를 참고하도록 한다(표 9-1).

표 9-1. **다양한 유전안질환에서의 한국인 유전연구 결과**

유전안질환	관련유전자	한국인 유전분석결과 참고문헌
Axenfeld–Rieger syndrome	PITX2, FOXC1	Korean J Ophthalmol 2015;29:249–55. Mol Vis 2013;19:935–43.
Aniridia	PAX6	Mol Vis 2012;18:488–94. Ophthalmology 2012;119:1258–64.
Albinism	TYR, OCA2, SLC45A2	Jpn J Ophthalmol 2012;56:98–103.
Corneal dystrophy (CD)		
TGFBI stromal CD	TGFBI	Clinical genetics 2016;89:678–89. Ann Lab Med 2015;35:336–40. Mol Vis 2012;18:2012–21.
Macular CD	CHST6	Mol Vis 2015;21:1201–9.
Schnyder CD	UBIAD1	Clinical genetics 2016;89:678–89.
Endothelial CD	SLC4A11, COL8A2, ZEB1	Cornea 2013;32:e181–2. Clinical genetics 2016;89:678–89. Eye 2009;23:895–903.
Congenital glaucoma	CYP1B1, MYOC	Br J Ophthalmol 2012;96:1372–7. Mol Vis 201;17:2093–101.
Lens dislocation	FBN	Korean J Ophthalmol 2015;29:77–8.
Leber hereditary optic neuropathy	mitochondrial mutation	J Neurol 2003;250:278–81. IOVS 2014;55:8095–101.
Autosomal dominant optic neuropathy	OPA1	Mol Med Rep. 2016;14:33–40.
Familial exudative vitreoretinopathy	FZD4, LRP5, TSPAN12	IOVS 2015;56:5143–51.
Leber congenital amaurosis	CRB1, RPE65, RPGRIP1	Mol Vis 2008;14:1429–36.
Retinitis pigmentosa	PRPF3, RHO, PDE6B, PRPH2, RP1	Mol Vis 2012;18:2398–410. Ophthalmic Genet 2012;33:96–9.
Occult macular dystrophy	RP1L1	IOVS 2013;54:4856–63.
Bietti crystalline retinopathy	CYP4V2	Korean J Ophthalol 2016;30:81–3.
X–linked retinoschisis	XLRS1	Korean J Ophthalmol. 2006;20:62–4.

참고문헌

01. Rosenthal BP, Cole RG, Remediation and management of low vision. Mosby Year Book Co. 1996.

02. Faye EE, Albert DL, Freed BE, et al. A new look at low vision care, Lighthouse International, 2000.

03. Brilliant RL, Essentials of low vision practice , Butterworths—Heinermann Co. 1999.

04. Hooper P, Jutai JW, Strong G, et al. Age—related macular degeneration and low—vision rehabilitation: a systematic review. *Can J Ophthalmol* 2008;43:180—7.

05. Siemsen DW1, Brown WL. Vision rehabilitation of persons with age related macular degeneration. *Semin Ophthalmol* 2011;26:65—8.

06. Haymes SA, Lee J. Effects of task lighting on visual function in age—related macular degeneration. *Ophthalmic Physiol Opt* 2006;26:169—79.

07. Eperjesi F, Maiz—Fernandez C, Bartlett HE. Reading performance with various lamps in age—related macular degeneration. *Ophthalmic Physiol Opt* 2007;27:93 — 9.

08. Goodrich GL, Kirby J. A comparison of patient reading performance and preference: optical devices, handheld CCTV (InnoventionsMagni—Cam), or stand—mounted CCTV (OptelecClearview or TSI Genie.) *Optometry* 2001;72:519—28.

09. Nilsson UL, Frennesson C, Nilsson SE. Patients with AMD and a large absolute central scotoma can be trained successfully to use eccentric viewing, as demonstrated in a scanning laser ophthalmoscope. *Vision Res* 2003;43:1777—87.

10. Al—Karmi R, Markowitz SN. Image relocation with prisms in patients with age—related macular degeneration. *Can J Ophthalmol* 2006;41:313—8.

11. Markowitz SN, Reyes SV, Sheng L. The use of prisms for vision rehabilitation after macular function loss: an evidence—based review. *Acta Ophthalmol* 2013;91:207—11.

12. Augustin A, Sahel JA, Bandello F, et al. Anxiety and depression prevalence rates in age—related macular degeneration. *Invest Ophthalmol Vis Sci* 2007;48:1498—503.

13. Brody BL, Roch–Levecq AC, Gamst AC, et al. Self–management of age–related macular degeneration and quality of life: a randomized controlled trial. *Arch Ophthalmol* 2002;120:1477–83.

14. Yevseyenkov V, Manastersky N, Jay WM. The Role of Low Vision Rehabilitation in Neuro–ophthalmic Disease. *Neuro-ophthalmology* 2010;34:331–41.

15. Trobe JD, Beck RW, Moke PS, et al. Contrast sensitivity and other vision tests in the optic neuritis treatment trial. *Am J Ophthalmol* 1996;121:547–53.

16. Choi MY, Park IK, Yu YS. Long term refractive outcome in eyes of preterm infants with and without retinopathy of prematurity: comparison of keratometric value, axial length, anterior chamber depth, and lens thickness. *Br J Ophthalmol* 2000;84:138–43.

17. 오두환, 박신혜, 이정규, 문남주. 소아백색증 환자의 임상양상과 이에 따른 저시력 기구의 임상효과. 대한안과학회지 2011;52:466–71.

18. Park SH, Chae H, Kim Y, et al. Molecular analysis of Korean patients with oculocutaneous albinism. *Jpn J Ophthalmol* 2012;56:98–103.

제 **10** 장

연령별 처방

1. 소아저시력 환자의 관리

소아에서 저시력은 환자의 삶의 질을 저하시킨다는 것이 알려져 있으며, 조기발견과 저시력재활치료가 시각 예후 및 추후 적절한 교육을 받고 삶의 질을 높이는 데에도 영향을 미친다. 15세 이하의 소아에게 저시력보조기구를 처방했을 때 삶의 질이 의미있게 향상된다고 하였고,[1] 주의력집중훈련만으로도 소아저시력 환자의 인지 기능과 일상생활의 독립도가 향상될 수 있다는 보고도 있다.[2] 2014년말 기준으로 보건복지부에 등록되어 있는 19세 이하의 시각장애인은 3,819명(남 2,317명, 여 1,502명)으로 전체 시각장애인의 약 1.5%를 차지하고 있다(표 1-2). 국내 소아저시력환자에 대한 연구에 의하면, 선천백내장, 미숙아망막병증, 선천녹내장 등 조기 발견시 치료나 예방이 가능한 질환의 비중이 과거(1995년-2000년)에 조사된 연구에서는 약 23.4%를 차지하였던 데 반해, 최근 연구(2004년-2014년)에서는 11.9%로 현저히 줄었다(그림 10-1).[3,4] 이는 우리나라의 사회경제적 성장과 함께 소아에서의 다양한 눈검진사업과 지원사업을 통한 조기발견과 치료가 그 효과를 나타냈기 때문이라고 생각된다. 많은 소아 환아들이 근거리(77%) 및 원거리(94%) 시력 보조기구를 처방받아 사용하고 있었는데, 최근에는 집광확대경 이외에도 손잡이확대경이나 전자확대기구를 사용하는 빈도가 높아지고 있었다.[3,4] 특히 소아에서는 뇌질환과 연관된 시각장애, 즉 피질맹(cortical visual impairment, CVI)의 빈도가 높은데, 이들 환아의 경우에는 시각장애 이외에도 기타 중복장애가 있음을 고려하여 보살펴야 한다. 국내 전국 12개 시각장애학교에 다니는 학생의 약 25%는 중복장애학생으로, 시각장애 이외의 다른 장애를 함께 가지고 있는 것으로 조사되었다.[5]

일상생활 정보 중의 약 80%가 시각을 통하며, 아이의 지적, 신체적 능력이 성장하는 데 정상적인 시각을 통해 보고 관찰한 것을 따라하는 것이 중요하다

임상저시력

는 점을 고려하면, 시각장애를 가지고 태어난 아이의 시각발달뿐만이 아니라 육체적, 감정적, 지적, 사회성 발달과정 전반에 대한 관심이 함께 필요하다. 소아의 저시력은 발달과정에서 학습 및 행동, 사회성 등에 영향을 미쳐 시력 저하 이상의 의미를 가지므로, 남아 있는 시력을 최대로 활용하기 위한 시각재활이 기저 질환의 치료와 함께 병행되어야 하며 이를 위해 안과의사는 소아 저시력 환자의 임상적 특징과 치료과정 전반에 대해 알고 있어야 한다. 시력장애가 있는 환아를 돌보는 안과의사가 다양한 지원사업과 새로운 저시력 보조기구에 대한 지식을 바탕으로 소아 환자들이 저시력기구를 처방받아 적절히 활용할 수 있는 교육프로그램을 이용할 수 있도록 환자와 보호자를 교육한다면, 소아 저시력 환아들의 신체적, 정신적 발달뿐만 아니라 나아가서는 그들의 삶의 질을 높이는 역할을 할 수 있을 것이다.

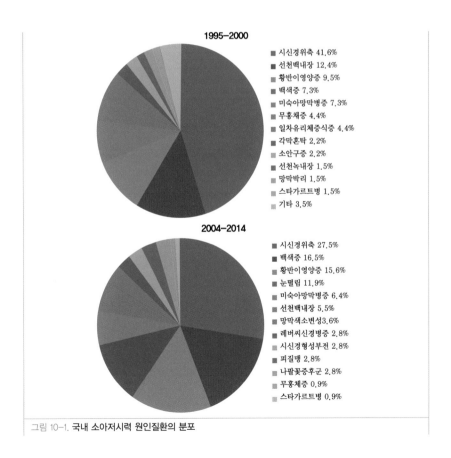

그림 10-1. **국내 소아저시력 원인질환의 분포**

1) 정확한 굴절교정의 중요성

시각장애 소아에 있어 정확한 굴절교정이 저시력재활의 가장 기본임을 기억해야한다. 기저질환에 의한 시력의 제한은 어쩔 수 없더라도, 적어도 굴절이상에 의한 약시는 최소화하는 것이 안과의사의 임무이다.

예를 들어, 선천녹내장으로 치료받는 환아의 상당수가 고안압으로 인해 안축장 길이가 길어짐에 따라 이차적으로 고도근시를 갖고 있으며(그림 10-2), 미숙아망막병증으로 치료받은 환아들에서도 근시 변화가 빨리 진행되는 양상을 보인다. 시기능 발달 과정에 있는 환아에게 우선 굴절이상을 적절히 교정해주어 선명한 상이 망막에 맺히게 함으로써, 시각발달을 향상시키고, 그 후 보조기구 사용을 원활하게 한다. 의외로 선천녹내장 환아들 중에 어릴 때부터 안압조정을 위한 수술 및 약물 치료는 잘 받아왔지만, 동반된 근시에 대해서 적절한 안경교정을 받아온 환아는 드물다. 안압조정이 잘 되더라도, 시기능 발달 민감기에 있는 소아 환아에서 굴절이상에 대한 적절한 교정을 해주지 않는다면 이로 인한 약시가 발생할 수 있음을 알고 있어야 한다.

원칙적으로는 환아가 가지고 있는 굴절이상을 교정하는 안경을 계속 착용하도록 한다. 특히 고도의 원시나 난시는 반드시 정확히 교정한다. 근시가 있는 눈은 광학적으로 근거리를 보는 데 있어서는 교정을 안 한 상태에서 확대안경을 착용한 것과 같은 효과를 내므로, 환아의 나이와 생활습관 등을 고려하여 약간 저교정하는 경우도 있다. 제대로 교정이 안 된 안경을 착용하고 있는 상태에서는, 확대경을 사용한다고 해도 선명한 상을 얻을 수 없다. 또 아이들은 성인과 달리 높은 조절력을 가지고 있기 때문에 확대경 없이도 물체를 가까이 대고 보는 것만으로 망막상을 효과적으로 확대시켜 보기도 한다. 이 때 과도하게 엎드리는 자세를 취하게 되면 자세가 나빠지고 조명을 가리기 때문에, 상대적으로 책상을 높이거나 의자를 낮추거나, 독서대를 이용하도록 하여 자세를 올바로 유지하면서 가까이 보는 방법을 유지할 수 있도록 알려준다.

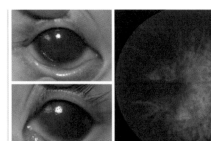
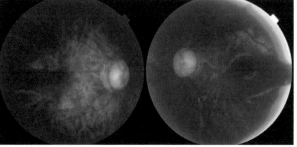

그림 10-2. **선천녹내장으로 치료중인 3세 여아**
안압상승으로 인한 양안의 각막부종과 함께, 시신경의 녹내장성 변화 및 안축장길이 증가에 따른 근시성망막맥락막변화가 관찰된다. 양안에 −8.0 D 정도의 근시가 관찰되어 시각발달을 위해 바로 안경착용을 시작하였다. 7세 때 교정시력이 0.2 정도로 확보되었고, 취학전 저시력보조기구 사용법을 연습중이다.

소아저시력 환자 치료의 기본은 정확한 굴절검사와 안경처방

저시력환아가 가지고 있는 질환 자체에 대한 치료도 중요하지만, 적절한 안경을 착용하게 하는 것이, 시각이 발달하는 중요한 시기에 있는 아이들을 다루는 안과 의사의 가장 중요한 일차적 임무이다.

2) 적절한 보조기구의 처방

소아저시력 환아에서 조기 시각재활치료는 중요하기 때문에, 환자들의 특징을 잘 파악하고 저시력 보조기구들에 대한 지식을 바탕으로 적절하게 처방하는 것이 중요하다. 이를 위해서는 소아의 상태와 요구를 정확히 이해시키고 적절한 보조기구의 사용을 위해서는 처방전에 보호자와의 상담이 선행되어야 한다.

일반적으로 초등학교 입학전 1–2년 전부터 저시력 보조기구 등의 활용법을 연습하도록 하며, 적합한 교육기관에서 적절히 학습받을 수 있도록 지도한다. 모든 기구는 환아가 일상 생활에서 사용하기에 가장 편한 형태로, 요구되는 작업에 가장 적절한 배율로 처방되어야 한다. 현재 국내에서 가장 많이 처방되고 있는 근거리 보조기구는 집광확대경이며, 원거리용은 케플러망원경이다. 특히 근거리용 저시력보조기구를 처방할 때, 소아 연령에서는 조절력이

높은 점을 감안하여 성인에 비해서 낮은 배율로 처방한다. 또한 단순한 광학기구의 처방뿐 아니라 적절한 조명과 독서대, 컴퓨터 등 보조수단을 적극 활용하도록 알려주어야 하며, 보조기구를 처방한 후에도 보조기구에 잘 적응하여 실제로 잘 사용하고 있는지도 계속적으로 추적 관찰하는 것이 중요하다. 간혹 광학보조기구나 확대교과서 등을 학교에서 사용하는 것을 본인 스스로 부끄러워하고 사용을 꺼리는 아이들도 있다. 이 경우 아이에게 보조기구를 사용할 것을 강요하지 말고 천천히 적응할 시간을 주는 것이 바람직하다.

대략적인 연령별 보조기구 처방에 대한 지침은 다음과 같다.

(1) 미취학연령

손잡이확대경은 너무 가까이 들여다보지 않고도 관심을 가진 사물들을 쉽게 볼 수 있으므로 거부감 없이 사용할 수 있다. 그 외, 책위에 올려놓고 사용하는 집광확대경이나 확대독서기등도 처방할 수 있다.

(2) 초등학교연령

이 연령층에서는 요구되는 활동에 따른 다양한 형태의 확대경과 망원경이 필요하다. 즉 근거리용으로는 손잡이확대경과 스탠드확대경을, 원거리용 망원경 역시 단안형과 양안안경부착형 등을 상황에 따라 선택하여 사용할 수 있다.

(3) 청소년기연령

이제까지의 연령과는 달리 외모에 신경을 많이 쓰게 되는 연령이므로 간혹 이전까지 잘 사용해오던 망원경이나 착색렌즈 등 기존의 보조기구 사용을 거부하기도 한다. 따라서 기구 처방전에 충분한 대화를 나누어 그들의 요구와 문제점을 충분히 이해하는 것이 필요하다.

소아저시력 환자에서의 저시력보조기구 활용

- 일반적으로는 초등 입학전 1~2년 전부터 저시력 보조기구 활용법을 연습하기 시작한다.
- 소아에서 조절력이 풍부함을 고려하여 확대 배율은 어른의 50% 정도가 적당하다.
- 환아가 일상 생활에서 사용하기에 가장 편한 형태의 것을 처방한다.

3) 적절한 교육 및 사회적 정보의 제공

저시력 환아가 적절한 교육을 받고 사회구성원으로 자립할 수 있도록 하기 위해서는, 교육이나 복지기관과의 상호 연계가 반드시 필요하다. 환자의 눈에 대해 의학적인 면을 일차적으로 책임지는 안과의로서, 적절한 교육 및 사회적인 정보를 제공하는 것도 환아에게 큰 도움이 된다. 시각장애 자녀를 둔 부모에게 해당 지역 교육청의 특수교육지원센터에 문의하여 특수교육지원대상자로 선정되기 위한 지원 절차(181, 182 페이지 참고) 및 환아에 대한 추후 교육, 진로에 대한 교육프로그램 및 가족, 치료, 보조기기, 보조인력에 대한 지원 프로그램에 대해 상세히 알아보도록 설명해준다. 특히, 저시력 환아를 시각장애인으로 등록을 하는 것이 추후 영유아 및 학동기 성장 과정에서 여러 특수교육 및 재활 프로그램을 이용하는 데 기본적인 절차가 될 수 있음을 보호자에게 알려준다.

(1) 시각장애 환아의 영유아기 교육

장애인 등에 대한 특수교육법 제3조 제1항에 근거하여, 만 3세 미만의 장애영아는 무상교육 대상자로, 그리고 장애유아에 대한 교육을 보다 실질적으로 보장하기 위해 장애유아는 의무교육대상자로 규정되어 있다. 이를 위해, 만 3-5세 시각장애가 있는 유아가 특수교육대상자로 선정되기 위해서는, 장애유아 보호자 또는 유치원장을 통해 해당지역 교육청으로 그림 10-3과 같은 지원 절차를 밟아야 한다.

(2) 학령기 저시력 환아에서의 학교의 선택

시각장애 환아가 처음으로 경험하는 사회적 관문이 초등학교 입학이다. 교육과학기술부의 "2009 특수교육통계"에 따르면 국내 전체 특수교육 대상자 75,187명중에 시각장애학생이 2,113명(2.8%)였으며, 이중 약 70%가 시각장애학교를 포함한 특수학교에서, 약 13.8%는 특수학급에서, 약 16.5% 는 일반학교에서 교육을 받고 있는 것으로 조사되었다.[5, 6] 다른 나라의 예를 보면, 과거에는 시각장애 학생들은 전통적으로 특수학교에서 교육을 받아왔으나, 최근 점차 통합교육에 대한 관심이 높아지면서 일반학급으로의 배치가 늘어나고 있다고 하니 참고할 만 하다.

실제로, 취학을 앞둔 저시력 아동의 부모는 일반학교와 맹학교 중에서 어디를 선택하는 것이 아이에게 바람직할지에 대해 고민하고 자문을 구하게 된

장애 및 장애의심유아 발견 및 진단평가 의뢰
(보호자 또는 각급학교의 장 〉 교육감 또는 교육장(교육청))

진단평가 의뢰
(교육감 또는 교육장(교육청) 〉 특수교육지원센터)

진단평가 실시 및 결과 보고
(특수교육지원센터 〉 교육장 또는 교육감(교육청))

특수교육지원센터의 결과보고 내용 통보 특수교육 운영위원회의 선정배치
심사 선정여부 및 교육지원내용을 결정 통보
(교육감 또는 교육장(교육청) 〉 학교장 및 보호자)

배치된 학교에 취학
(학생 또는 보호자)

그림 10-3. **시각장애를 지닌 특수교육대상자 선정 절차**

다. 일반적으로 0.3 정도의 시력이 확보되는 환아들은 일반학교에서 적응하는 데 큰 무리가 없고, 그 이하의 시력을 갖는 아이들은 칠판글씨 보기를 힘들어할 수 있기 때문에 이에 대해 저시력 기구를 적절히 사용하도록 하면서 일차적으로 일반학교 진학을 권하고 있다. 최근에는 확대독서기가 발전하면서 0.02 정도의 시력을 가진 환아들도 잔존시력을 활용한 학습이 충분한 상황이 되었다. 저시력 기구를 이용해서도 시표를 전혀 알아볼 수 없다면 맹학교 입학을 고려해야 하는데, 이런 경우 맹학교에 직접 방문하여 보고 오는 것이 결정에 도움이 된다. 일반적으로는 취학전, 무언가를 배우기 시작하고, 기구를 혼자 사용할 수 있는 만 5세 무렵의 환아는 다루기 쉬운 저시력보조기구부터 사용하여 익숙해질 수 있도록 훈련을 받도록 하면 학교 생활을 보다 원만하게 해내는데 도움이 된다. 저시력보조기구를 일정기간 대여해주는 프로그램을 이용하여, 가정이나 학교에서 실제로 활용도가 어떤지에 대해서 확인하는 것도 도움이 된다. 일반학교 생활을 하는 저시력 환아가 학교 선생님과 동급 친구들로부터 본인의 눈상태를 이해받고 배려받기는 쉽지 않다. 학년초에 아이의 눈상태와 보통 아이들과는 달리 안경을 쓰고 있어도 교정시력이 좋지 않다는 사실을 알려주는 소견서를 담임선생님께 첨부해드리면 환아가 학교생활에서 적절한 배려를 받도록 하는데 도움을 준다.

(3) 시각장애 아동을 위한 특수교육법

장애인 등에 대한 특수교육법(시행령 제10조)에 따르면 "시각계의 손상이 심하여 시각기능을 전혀 이용하지 못하거나 보조공학기기의 지원을 받아야 시각적 과제를 수행할 수 있는 사람으로서 시각에 의한 학습이 곤란하여 특정의 광학기구, 학습매체등을 통하여 학습하거나 촉각이나 청각을 학습의 주요수단으로 사용하는 사람"은 "시각장애를 지닌 특수교육대상자"로 선정될 수 있다. 그림 10-3과 같은 특수교육대상자 선정, 배치 절차를 거쳐 시각장애 아동에게 적절한 교육서비스를 제공하도록 의무화되어 있다.

간혹 시력이 나쁜 환아의 부모가 아이를 장애인으로 등록시킬지의 여부를 고민할 때가 있는데, 이 때에도 시각장애인으로 등록하고 해당 지역 교육청 내 특수교육지원센터에 신청한 후에 여러 교육적인 지원을 받을 수 있다는 정보를 주고 부모의 희망에 따라 선택하도록 하는 것이 좋다. 우리나라에서도 2002년부터 저시력 학생을 위한 확대교과서가 무상으로 공급되기 시작하였고, 현재 일반 교과서보다 1.5배와 1.8배로 확대된 교과서를 받을 수 있다. 한국교육과정평가원에 진단서를 제출하면 확대시험지를 제공받을 수 있고, 확대독서기를 사용할 수도 있으며, 시험시간도 추가로 주어진다. 전맹인 학생에게는 점자문제 및 녹음테이프와 1.7배 연장된 시험시간이 주어진다. 하지만 이러한 편의가 시각장애 학생들이 정상 시력을 가진 아이들과 경쟁하는 데에는 여전히 한계가 있다는 지적이 있으며, 장애인에게 "정당한 편의제공"을 해야 한다는 "장애인차별금지법"의 원칙에 따라 시험을 치를 때 시각장애 학생들이 공부에 익숙한 보조기기를 사용할 수 있게 해야 한다는 목소리도 있다.

저시력 소아를 위한 교육정보 제공

- 저시력 환아를 시각장애인으로 등록을 하는 것이 추후 영유아 및 학동기 성장 과정에서 여러 특수교육 및 재활 프로그램을 이용하는 데 기본적인 절차가 될 수 있음을 보호자에게 알려준다.
- 해당 지역 교육청의 특수교육지원센터에 문의하여 시각장애 아동을 위한 교육 및 지원 프로그램을 알아보도록 정보를 준다.

(4) 시각 장애 아동을 위한 지원 사업 정보 제공

초중고 재학중인 저시력 아동에 대한 확대독서기 지원을 통해 저시력 아이

들에게 원활한 학습 환경과 동기를 제공하기 위한 사업들이 우리나라에서도 점차 많아지고 있다(제12장 참고).

① 한국실명예방재단(www.kfpb.org)에서 운영하는 시기능훈련교실에서 저시력 아동을 위한 다음과 같은 프로그램을 시행하고 있다.
- 시기능효율성개발프로그램
- 저시력보조기구 적응훈련
- 일상생활 적응훈련
- 사회적응력 향상프로그램

② 학술연구지원
- 시각장애가 있는 중고등학생과 이들이 대학에 진학한 경우에도 석박사 과정까지 고등교육에 필요한 학술연구지원을 해주는 사업도 있다(정인욱복지재단, www.chungiw-hsf.or.kr).
- 지역별 시각장애인복지재단에서 시각장애인을 위한 다양한 교육지원프로그램을 운영하고 있다.

③ 중도실명자지원프로그램
시각장애가 있는 많이 아이들이 선천적인 원인을 갖고 있지만, 외상 혹은 소아청소년기에 발병하는 질환, 예를 들면 망막색소변성이나 레버유전시신경병증, 뇌종양으로 인한 압박시신경병증 등으로 인해 후천적으로 시각장애를 겪게 되는 아이들도 있다. 특히 학습적인 요구량이 커지고 심리적으로 예민한 청소년기에 갑자기 맞이한 시각장애로 인해 크게 좌절하고 방황하는 환아들을 보게 된다. 이런 경우, 새로 맞닥뜨린 시각장애라는 큰 시련을 잘 이겨낼 수 있도록 하는데 중도실명자 상담프로그램이 도움이 된다. 비슷한 시각장애 경험을 이미 겪은 적절한 멘토를 소개하고 시각재활기관을 연계해주며, 필요한 시각장애 정보를 제공한다(www.chungiw-hsf.or.kr).

결론적으로 소아에서의 저시력 진료는 환아가 단순히 문자의 판독을 가능하게 하는 차원이 아니라 시자극의 확대와 계속적인 사회적 지원을 가능하게 하는 것이다. 이를 위해 저시력의 조기발견 및 진단과 그 이후의 지속적인 추적 관찰이 모두 필요하다. 따라서 안과의사, 부모, 교사, 저시력클리닉 구성원들 모두가 참여하여 저시력 환아의 현재 상태를 전체적으로 평가하여야 하며 지속적으로 꾸준한 관리를 하는 것이 가장 바람직하다. 저시력보조기구에 적응할 수 있는 환자들에게 관심을 가져야 한다. 조금이라도 남은 시력이 있으면 시각재활을 끝까지 포기해서는 안 된다는 점을 강조하고 싶다.

소아저시력 환자를 돌보는 안과의사가 알아두어야 하는 사항

· 시각적인 부분 이외에 전신적인 발달 평가를 함께 하는 것이 중요하다.
· 정확한 진단에 근거하여 환아가 가지고 있는 질환의 치료 및 예방에 최선을 다한다.
· 질환 자체의 치료와는 별도로, 조기에 굴절검사를 시행하여 적극적으로 안경 교정을 해야 한다.
· 적절한 보조기구를 사용하도록 한다.
· 의학적인 부분 이외에 교육, 복지에 대한 여러 정보를 제공하여 아이의 연령에 맞는 포괄적인 저시력 관리가 이루어지도록 돕는다.

<증례1>

어릴 때부터 눈맞춤이 약하고 눈떨림이 있어 타병원에서 양안의 시신경위축으로 진단받은 5세 남아가 저시력클리닉으로 내원하였다.

주호소) 취학을 앞둔 아이의 엄마가 진학 계획에 대한 상담을 원하였다. 시신경위축의 원인을 찾기 위한 뇌영상을 포함한 검사에서 특이 사항은 없었다.

평가과정)
1) 내원시력 : 우안 0.05, 좌안 0.03
2) 양안 모두 정시안.
3) predicted add 는 우안 100/5=+20 D 임.

저시력재활과정)
1) 엄마와 환아가 모두 저시력 재활치료에 매우 적극적이라, 매주 시기능훈련 교실을 다니면서 집광확대경부터 시작하여 망원경을 사용하는 법을 익히기 시작하였고, 저시력아동 캠프에 참여하면서 자립심도 많이 향상되었다.
2) 근거리작업에 대하여,
   － +24 D (6배)더블릿렌즈안경을 착용하였을 때 작은 글씨를 만족할 정도로 볼 수 있었다.
   － 6배 손잡이확대경을 함께 처방하였다.
3) 원거리작업에 대하여,
   － 목표시력을 0.4이라 하면, 우안 (0.05)을 사용할 때 목표배율 8배이고
   － 실제로 8배 손에 쥐는 케플러망원경을 사용하였을 때 만족하였다.

4) 시각장애진단서를 발행하였고, 일반 초등학교에 취학하기로 결정하였다.

5) 해당 지역 교육청의 특수교육지원센터에 특수교육지원대상자로 선정되기 위한 신청 절차를 시행하였다. 현재 아이는 일반 초등학교 5학년에 재학 중이며, 일반학교생활을 원만히 하고 있다.

6) 학급내 환아의 자리에는 교육청에서 제공된 그림 10-4와 같은 원근 양용 형 확대독서기가 마련되어 있어, 카메라 방향을 돌리면 칠판과 교과서를 확대시켜 볼 수가 있어 수업을 따라가는 데 어려움이 없으며 수학 시간에 는 환아에게 따로 배정된 특수교사와 함께 일대일로 수업을 받는다고 하 였다.

7) 환아의 집에서도 확대독서기를 이용하여 읽기, 쓰기 등의 활동을 잘 하고 있다고 한다.

그림 10-4. 원근 양용형 확대독서기가 학교 생활에서 칠판보기와 책보기에 유용하게 사용된다.

2. 성인기 저시력 관리

성인기에 안질환이 발생하여 중도 시각장애자가 된 경우, 앞에서 설명한 중도실명자상담프로그램이 도움이 된다. 동일한 질환을 앓고 있는 혹은 본인과 비슷한 중도실명의 경험을 먼저 겪어본 사람과 만나고 서로의 이야기를 듣고 나눔으로써 심리적으로 큰 지지를 얻을 수 있다. 소아기의 저시력 환자에서 학습이 가장 큰 문제라면, 성인기의 저시력 환자들은 "직업"을 잘 수행해내는 것이 가장 큰 문제이다. 앞으로는 의학적인 치료와 더불어 복지제도의 활용, 사회복귀를 위한 생활 훈련 등에 대한 정보 제공 등 종합적인 연계가 이루어질 필요성이 있다.

3. 노년기 저시력 관리

백내장, 당뇨망막병증, 녹내장, 나이관련황반변성 등의 주요 안질환이 고령자에게 많고, 앞서 언급된 것처럼 우리나라에서도 고령의 저시력 인구 유병율이 해마다 높아지고 있으며, 추후 주요한 사회적 이슈가 될 가능성이 높다.[7, 8] 실제 진료실에서 만나는 고령 시각장애인들은 저시력 훈련을 받고자 하는 의욕이나 동기가 부족하고, 동반되어 있는 전신 합병증이 많고, 체력적으로도 약하기 때문에 저시력 관리대상에서 소외되어 있는 경우가 많다.[9] 저시력보조기구를 통한 저시력 훈련은 꾸준한 반복을 요하는 일이라 고령자들은 훈련에 소극적으로 임하고 쉽게 포기해버리는 경우가 잦다. 미국과 유럽에서의 가장 주요한 실명 원인이 황반변성으로, 우리 나라에서도 이 질환을 갖는 노년기의 시각장애 환자들의 재활에 적합한 중심외주시훈련 및 광학보조기구 처방 프로그램을 숙지하고 잘 독려하는 것이 필요하겠다.

노인 저시력 환자를 진료할 때에는 다음과 같은 특징을 고려한다.

- 시력과 시야가 감소되어 있다.
- 명암순응시간이 길고 조명에 대한 민감도가 감소되어 조명을 밝게 하는 것이 좋다.

- 색각과 대비감도가 저하된다.
- 시각장애와 더불어 중복장애가 많다.
- 젊은 연령에 비해 저시력기구를 사용하는 데 숙련기간이 오래 걸린다.

　저시력 관리 대상이 되는 노년기 인구가 점차 늘어나면서, 이들 인구에서 알츠하이머를 포함한 치매와 동반된 인지장애의 비율이 높은 점도 최근 관심을 받고 있다. 인지장애가 있는 노령 환자들은 시력저하 등에 대해 자발적으로 증상을 호소하는 비율이 낮고, 또한 증상을 호소한다고 하더라도 가족이나 보호자들이 제대로 증상을 인정하지 않는 경우가 많다. 따라서 인지장애가 있는 노년층에서도 안질환을 조기 발견하고 치료할 수 있는 안과진료 프로그램을 마련하는 것이 필요하다.

　노년기에 뇌졸중을 겪은 환자들 중의 약 30-85%정도에서 시각적인 어려움이 남는데, 이 때 인지나 운동기능의 저하, 이동장애 등이 동반되는 경우가 많다. 이들의 저시력재활의 검사 및 치료방침을 세우는데 있어 작업치료, 운동치료 등과 병행하여 보다 적극적으로 일상생활에 복귀할 수 있도록 돕는다. 시력장애가 동반된 지체부자유자에서는 가급적 하나의 안경으로 근원거리를 모두 볼수 있도록 다초점이나 이중초점안경을 처방하는 것이 바람직하며 광학보조기구를 처방할 때에도 손잡이식보다는 스탠드식 확대경이 유용하고 가급적 조작이 간편한 확대독서기를 사용하도록 훈련시킨다.

특수교육대상자 진단 · 평가 의뢰서

접수번호					
대상자	성명		생년월일	성별	
	주소				
	소 속				
보호자	성명		대상자와의 관계	대상자의 ( )	
	주소		전화번호		

「장애인 등에 대한 특수교육법」 제14조 제3항 및 같은 법 시행령 제9조
제4항에 따라 위와 같이 신청합니다.

년   월   일

보호자   (서명)

서울특별시강남교육지원청교육장 귀하

—————————————   (절취선)   —————————————

특수교육대상자 진단 · 평가의뢰서(고등학교과정이하) 접수증

접수번호 :

소속	학생명	성별	비고

위와 같이 접수하였음을 증명함.

접수자	년 월 일	년 월 일
	성명 서명	

서울특별시강남교육지원청교육장

특수교육대상자 선정 · 배치 신청서

대상자	성명		생년월일			
	주소	*도로명 주소 기입*			성별	
	소 속 (학년반)		장애유형			
보호자	성명		대상자와의 관계		대상자의 (　　　)	
	주소		전화번호			
배 치 희망교	제 1희망			제 2희망		
	학교			학교		
	학급			학급		

「장애인 등에 대한 특수교육법」 제17조 및 같은 법 시행령 제11조에 따라 위와 같이 신청합니다.

년　　　월　　　일

보호자　　　　　　　　(서명)

서울특별시강남교육지원청교육장 귀하

※ 작성시 유의사항

1. 장애유형: 시각장애 · 청각장애 · 지적장애 · 자폐성장애 · 정서행동장애 · 지체장애 · 의사소통장애 등 기재함
2. 배치 희망학교: "○○학교 특수학급" 또는 "○○학교 일반학급"으로 기재함

※ 특수교육운영위원회에서 거주지와 학교와의 거리, 장애유형, 장애정도, 교통편의, 배치 희망학교의 현원 등을 종합적으로 고려하여 배치하며, 상황에 따라서는 희망하지 않은 학교에 배치될 수도 있음

참고문헌

01. Gyawali R, Paudel N, Adhikari P. Quality of life in Nepalese patients with low vision and the impact of low vision services. *J Optom* 2012;5:188–95.

02. Çalik BB, Kitiş A, Cavlak U, et al The impact of attention training on children with low vision: a randomized trial. *Turk J Med Sci* 2012;42:1186–93.

03. 박명규, 문남주. 소아 저시력환자 137예의 분석. 대한안과학회지 2001;42:1194–201.

04. 김원수, 문남주. 소아 저시력 환자의 최근 임상양상의 변화. 대한안과학회지 2015;56:1256–62.

05. 이미선, 김기창, 김정현, 김호연, 진창원. 시각장애학생 교육 현황분석 및 개선방안 연구. 국립특수교육원. 2009

06. 교육과학기술부(2009a). 2009 특수교육 통계.

07. Pascolini D, Mariotti SP. Global estimates of visual impairment. *Br J Ophthalmol* 2012;96:614–8.

08. Park SH, Lee JS, Heo H, et al. A nationwide population–based study of low vision and blindness in South Korea. *Invest Ophthalmol Vis Sci* 2014;56:484–93.

09. Court H, McLean G, Guthrie B, et al. Visual impairment is associated with physical and mental comorbidities in older adults: a cross–sectional study. *BMC Med* 2014;17:181.

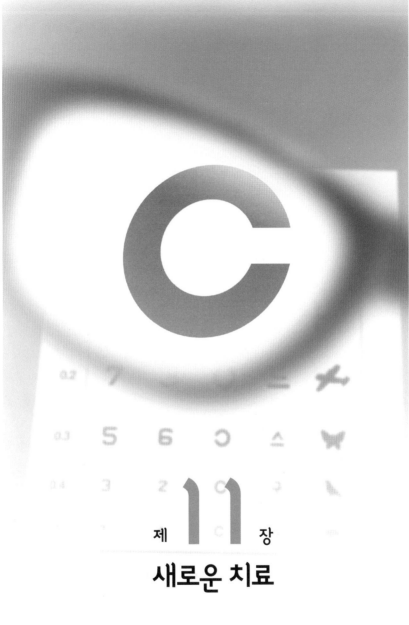

제 11 장

새로운 치료

1. 유전자치료

최근 인간게놈프로젝트 (Human genome project)가 완성되어 질병에 관련된 주요유전자들의 정체가 밝혀지고 있어 특정질환의 유전자 돌연변이가 발견되고 이를 보완하는 개념에서 시작된 유전자치료연구가 활발히 진행되고 있다. 유전자치료는 유전자이상, 변이로 인해 발생하는 유전적 결손을 대체할 정상적인 유전자를 발현할 수 있는 바이러스유전자운반체를 체내에 주입하여 잘못된 유전자의 기능을 대신하거나 대치하는 방법이다. 다양한 난치성안과질환들, 특히 망막색소변성, 레버선천흑암시 같은 유전망막질환에서 이상유전자들이 보고, 규명되고 있고 이에 대한 유전자치료가 실제로 시도되고 있다. New England Journal of Medicine의 2015년 보고에 따르면,[1] *RPE65* 유전자 돌연변이를 가진 12명의 레버선천흑암시 환자에게 아데노부속바이러스벡터 (Adeno-associated vector, AAV)를 이용한 유전자치료를 시행한 결과 6명에서는 망막의 민감도가 증가한 결과를 보였다. 하지만 그 반응이 일시적으로 증가하다가 1년이 경과되면서 서서히 감소하는 양상을 보였고 3명에서는 안구내염증의 부작용이 나타났으며 두 명에서는 시력이 감소하는 결과를 보여 아직까지는 좀 더 장기적인 연구결과가 필요할 것으로 생각된다.

2. 망막색소상피이식

나이관련황반변성과 망막색소변성 같은 퇴행성망막질환에 대하여 망막색소상피세포를 이식하는 치료도 연구되고 있다.[2] 망막색소상피는 빛을 감지하는 광수용체를 지지하는 가장 중요한 세포로 알려져 있으며 건강한 망막색소상피를 이식함으로써 시력회복을 기대하는 연구이다. 저시력의 주요한 원인

질환인 나이관련황반변성의 경우도 망막색소상피의 이상으로부터 시작되는 것으로 알려져 있어 이러한 치료 방법의 대상으로 고려되고 있다. 망막색소상피의 이식 방법으로는 1) 자가망막색소상피 이식 2) 줄기세포유도 망막색소상피 이식 3) 재프로그래밍세포(reprogramming cell) 이식으로 나뉜다.[3] 이러한 망막색소상피 이식이 퇴행성망막질환에 효과가 있다는 보고가 최근 발표되고 있어 앞으로 더 많은 임상적 시도와 적용이 기대되고 있다.[2]

3. 약물치료

1) 항산화제

최근 다양한 항산화, 항염증성분들이 망막색소변성이나 황반변성질환에서 병의 진행을 억제시키고 악화를 방지하는 효과가 보고되면서 치료보조제로 사용되고 있다. 인체활동에 영향을 미치는 오메가-3 지방산은 그림 11-1과 같이 탄소 사슬의 끝에서 세 번째 탄소에서부터 이중 결합이 시작되기 때문에 오메가-3라는 이름으로 명명되었고 이러한 구조식을 가진 복합체는 Docosahexanoic acid (DHA)와 Eicosapentanoic acid (EPA), α-Linolenic acid (ALA)의 세 가지가 있다.

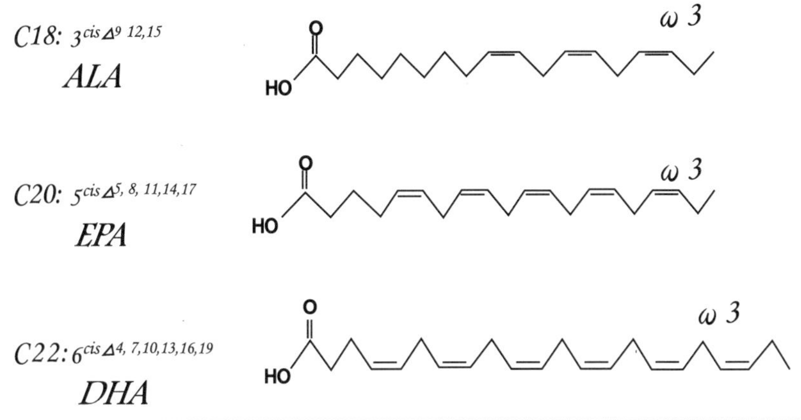

$C18: 3^{cis}\Delta^{9,12,15}$
ALA

$C20: 5^{cis}\Delta^{5,8,11,14,17}$
EPA

$C22: 6^{cis}\Delta^{4,7,10,13,16,19}$
DHA

그림 11-1. **오메가-3 지방산의 종류**

오메가-3 지방산은 cyclooxygenase 나 lipoxygenase 효소에 의해 prostaglandin E3 (PGE3)나 leukotrien B5 (LTB5) 같은 염증억제물질로 전환되어 염증억제작용과 혈중지질상태 개선효과등이 황반변성의 악화를 막을 수 있다고 보고되었다.[4]

고도의 다포화상태의 탄소사슬을 가진 지용성식물색소인 Carotenoid (Lutein, Zeaxanthin, Cryptoxanthin 등)는 자유유리기에 대항하여 항산화작용을 나타내고, 비타민 A, C, E, 아연, 셀레늄등도 항산화작용을 통하여 나이관련황반변성이나 백내장에 대한 보호효과가 있다고 보고되었다.[5]

2) 항혈관내피세포성장인자항체(Anti-VEGF antibody, VEGF)

혈관내피세포성장인자(VEGF)에 대한 항체치료는 신생혈관의 퇴화와 황반부종의 감소를 가져와 당뇨망막병증, 나이관련황반변성, 결절맥락막혈관병증 등 다양한 망막혈관질환에서 현재 매우 활발히 사용되고 있는 치료방법이다. 안과적으로 사용되고 있는 anti-VEGF 항체는 Bevacizumab (Avastin®), Ranibizumab (Lucentis®), Aflibercept (Eylea®)가 있으며 이들의 치료효과 및 장기적 임상결과들에 대한 연구가 계속 진행 중이다. 그러나 한번 주사로 장기적인 지속적 효과를 얻기 어려워 정기적으로 유리체강내주사가 필요하다는 단점이 있어 일부에서는 광역학요법 등과의 병합요법도 많이 시도되고 있다.

4. 인공망막

망막색소변성, 나이관련황반변성과 같은 경우 간상세포와 원추세포는 더 이상의 기능을 못하지만 망막신경절세포나 시신경은 정상이다. 망막병증으로 간체세포와 추체세포가 파괴된 환자의 경우에도 망막과 망막신경절세포의 일부가 정상인 경우가 있다. 인공망막은 시각정보를 수용하는 망막의 광수용체가 손상되어 시각기능에 장애를 겪고 있지만 시신경과 망막신경절세포는 손상되지 않은 사람들을 위한 것이다. 손상된 망막앞쪽에 이식된 인공망막칩은 남아있는 망막신경절세포를 전기적으로 자극하여 시각 정보를 대뇌피질로 전달하는 방식이다.

현재 인공망막칩에 대해 연구는 크게 7개의 연구가 진행되고 있으며 Second Sight (미국)에서 개발한 Argus® II가 미국과 유럽에서 승인되어 임상에 적용되어 약 90명에게 실제 시술이 이루어졌다. Retina implant AG (독일) 의 Alpha-IMS는 40명의 환자에게 임상시험을 거쳐 2013년 유럽에서 허가를 받아 상용화되었다. 위의 승인 받은 두 개의 기구 이외에도 Intelligent Medical Implants (IMI)사(독일, 스위스, 프랑스합작)의 Pixium, 하버드대학교의 Rizzo JF가 이끄는 Boston retinal implant project, 독일의 Epi-Ret 3이 개발 중에 있다. 또한 국내에서도 서울대학교 인공망막 프로젝트가 2000년 이후 꾸준히 개발되고 있다.

1) Argus® II (Second Sight, 미국)

Argus® II (그림 11-2, 11-3)는 카메라로 촬영한 상을 망막에 이식한 임플란트를 통해 망막신경절세포를 직접 자극하는 방식으로 60개의 electrode를 가지고 있어 이론적으로는 20/1262의 최대시력을 획득할 수 있다. Argus® II 는 망막색소변성환자를 대상으로 개발되었고 인공망막 중 가장 먼저 2011년 3월 유럽에서 상업적 사용을 승인 받았고 2013년 2월 미국의 FDA 승인을 받았다. 2011년 모니터에 무작위로 배치되는 물체를 인지하는 실험을 시행한 결과 27명 중 26명에서 물체의 위치를 파악하는 능력이 의미있게 호전된 결과를 보였다.[6] 또한 장기간 사용한 환자를 대상으로 알파벳을 인지하는 능력이 호전되었으며 일부에서는 30cm의 거리에서 0.9cm 사이즈의 작은 알파벳도 구분하는 결과를 보였다. Argus® II에서는 망막박리가 일부에서 발생할 수 있고 임플란트를 넣은 수술부위의 노출과 같은 부작용이 보고되었다.

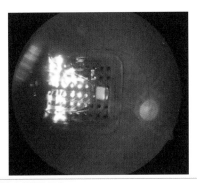

그림 11-2. **Argus® II가 망막에 삽입된 모습**

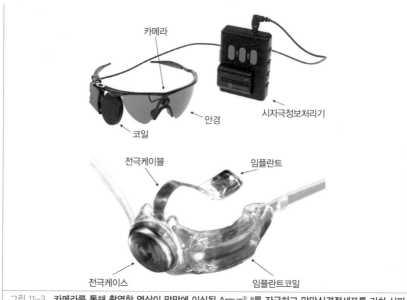

그림 11-3. **카메라를 통해 촬영한 영상이 망막에 이식된 Argus® II를 자극하고 망막신경절세포를 거쳐 시피질로 전달되는 방식을 갖고 있다. (Second Sight 홈페이지 인용)**

2) alpha-IMS (Retinal implant AG, 독일)

alpha-IMS는 유럽에서 인증 받은 인공망막으로 Argus® II와 달리 3mm × 3mm의 임플란트를 망막에 직접 이식하고 이 임플란트가 외부로 들어오는 빛자극을 직접 인지하여 정보를 전달하는 방식이다(그림 11-4). 이러한 alpha-IMS의 장점은 외부카메라가 필요없기 때문에 눈이 사물을 따라 움직일 때 그 움직임에 동일한 자극이 이루어지는 장점이 있고 해상도가 비교적 외부카메라를 이용한 임플란트보다 향상된 시력(약 20/546)을 볼 수 있다. 그러나 눈 떨림이 있는 경우에는 오히려 상이 깨끗하게 보이지 않는 단점이 발생한다. 최근 연구결과에서 29명의 망막색소변성 환자에게 임플란트를 삽입한 후 45%에서 일상생활에서 시력회복효과를 보였다.[7]

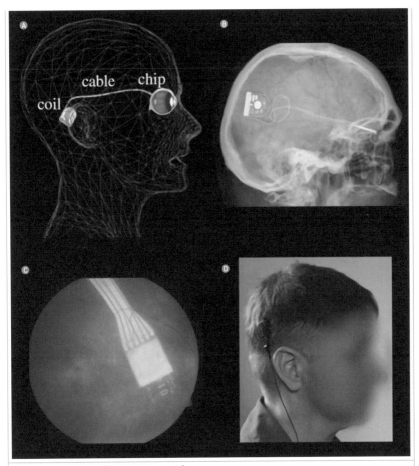

그림 11-4. alpha-IMS (Retinal implant AG.)[7]
A, B) 안구에 이식된 임플란트는 귀 뒤쪽에 위치한 전원장치로부터 전력을 공급받는다.
C) 임플란트가 삽입된 모양
D) 실제 이식된 환자 사진

5. 경각막전기자극(Transcorneal electrical stimulation)

전기자극은 1873년 Dor가 약시에 적용한 이후로 다양한 방면으로 적용이 되었고 최근에는 녹내장, 외상시신경병증과 같은 시신경질환과 광범위한 망막혈관폐쇄, 망막색소변성에 시도되고 있다. 기전은 각막을 통하여 가해진 전기자극이 광수용체의 신경보호전달 체계를 자극한다고 알려져 있다(그림 11-5).[8]

2011년 Schatz[9]은 망막색소변성 환자 24명에게 경각막전기자극을 시행한 결과 망막전위도에서 유의한 호전을 보였다고 보고하였다. 하지만 뚜렷한 시력 개선을 보인 연구결과가 부족한 현실이다.

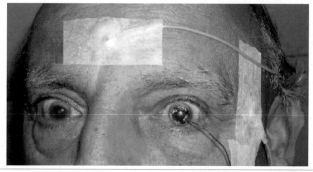

그림 11-5. **각막을 통하여 자극을 주는 경각막전기자극**

참고문헌

01. Bainbridge JW, Mehat MS, Sundaram V, et al. Long-term effect of gene therapy on Leber's congenital amaurosis. *N Engl J Med* 2015;372:1887-97.

02. Alexander P, Thomson HA, Luff AJ, et al. Retinal pigment epithelium transplantation: concepts, challenges, and future prospects. *Eye* 2015;29:992-1002.

03. Dang Y, Zhang C, Zhu Y. Stem cell therapies for age-related macular degeneration: the past, present, and future. *Clinical interventions in aging* 2015;10:255-64.

04. Souied EH, Aslam T, Garcia-Layana A, et al. Omega-3 Fatty Acids and Age-Related Macular Degeneration. *Ophthalmic research* 2015;55:62-9.

05. McCusker MM, Durrani K, Payette MJ, et al. An eye on nutrition: The role of vitamins, essential fatty acids, and antioxidants in age-related macular degeneration, dry eye syndrome, and cataract. *Clinics in dermatology* 2016;34:276-85.

06. Dorn JD, Ahuja AK, Caspi A, et al. gus II Study Group. The Detection of Motion by Blind Subjects With the Epiretinal 60—Electrode (Argus II) Retinal Prosthesis. *JAMA Ophthalmol* 2013;131:183—9.

07. Stingl K, Bartz—Schmidt KU, Besch D, et al. Subretinal Visual Implant Alpha IMS—Clinical trial interim report. *Vision Res* 2015;111:149—60.

08. Morimoto T, Kanda H, Kondo M, et al. Transcorneal electrical stimulation promotes survival of photoreceptors and improves retinal function in rhodopsin P347L transgenic rabbits. *Invest Ophthalmol Vis Sci* 2012;53:4254—61.

09. Schatz A, Rock T, Naycheva L, et al. Transcorneal electrical stimulation for patients with retinitis pigmentosa: a prospective, randomized, sham—controlled exploratory study. *Invest Ophthalmol Vis Sci* 2011;52:4485—96.

제 **12** 장

저시력인을 위한 복지

1. 시각장애인용 보장구 및 지급 혜택

저시력치료의 기본은 적절한 보조기구를 환자에게 처방하고 저시력인으로 사회에 적응할 수 있도록 교육하고 지도하는 것에 있다. 하지만 보조기구의 대부분이 고가인 경우가 많아 경제적 부담이 될 수 있어 정부의 지원을 받기 위해 시각장애인등록이 무엇보다 우선되어야 한다. 장애인등록이 되어 있어야 시각장애인용 보장구에 대한 지원을 받을 수 있고 정부와 기관에서 제공하는 기타 복지서비스를 받을 수 있다(213 페이지 별첨 참고). 시각장애인 등급 기준은 표 12-1과 같다.[1]

표 12-1. **시각장애인 등급 기준(2016년 10월 현재)**

제1급	좋은 눈의 시력(만국식 시력표에 의하여 측정한 것을 말하며, 굴절이상이 있는 사람에 대하여는 교정시력을 기준으로 한다. 이하 같다) 이 0.02 이하인 사람
제2급	좋은 눈의 시력의 0.04 이하의 사람
제3급	좋은 눈의 시력이 0.08 이하의 사람 두 눈의 시야가 각각 주시점에서 5도 이하로 남는 사람
제4급	좋은 눈의 시력이 0.01 이하인 사람 두 눈의 시야가 각각 주시점에서 10도 이하로 남는 사람
제5급	좋은 눈의 시력이 0.2 이하인 사람 두 눈에 의한 시야를 2분의 1 이상 잃은 사람
제6급	나쁜 눈의 시력이 0.02 이하인 사람

또한 시각장애인용보장구 중 광학기기의 일부는 보조금으로 구입하기에는 여전히 비싼 제품이 많으므로 한국정보화진흥원 또는 한국장애인고용공단 등에서 시행하는 지원사업을 잘 활용하는 것이 필요하다.

의사의 치료와 함께 사회관계지원사업을 통해 저시력인으로서 사회에 적응하는 것이 중요하여 저시력 유관기관과 함께 협력하여 접근하는 것이 필요하다.

국민건강보험공단은 장애인 복지법에 의거하여 등록된 장애인 가입자에게 보장구에 대하여 보험급여를 실시하고 있다. 시각장애인용 보장구는 안과의사만 처방이 가능하다.

1) 지급 기준[2]

(1) 시각장애인용 보장구 보험급여는 동일 보장구의 유형별로 내구연한에 1인당 1회에 한하여 받을 수 있다.

(2) 훼손 및 마모 등으로 교체하여야 할 의학적 소견이 있어 진료 담당 전문의가 처방전을 발행한 경우는 예외로 할 수 있다(기구 분실 시, 담당의 처방이 있으면 재급여 가능).

(3) 요양비는 동일인의 진료 담당의가 발행한 보장구처방전, 보장구 검수확인서에 한하여 지급하며, 표 12-2에서 제시된 기준액을 초과 할 수 없다.

(4) 시각장애인용 보장구 보험급여 지원은 표 12-2에서 제시된 각각의 항목에 한 개씩 신청 가능하다.

표 12-2. **적용대상 보장구 및 기준액 (2015년 10월 기준)**

적용대상 보장구	기준액	내구연한
저시력보조안경	100,000원	5년
돋보기	100,000원	4년
망원경	100,000원	4년
콘택트렌즈	80,000원	3년
의안	300,000원	5년
흰지팡이	14,000원	0.5년

2) 요양비 지급절차

(1) 구비서류: 보장구 보험급여를 받으려면 다음의 서류를 첨부하여 공단에 제출한다.

① 장애인 복지카드 사본 1부

② 보장구급여비 지급신청서(그림 12-1)

③ 보장구 처방전 1부(의사발행) (그림 12-2)

④ 보장구 검수확인서 1부(그림 12-3)

⑤ 보장구 제작자 또는 판매자가 발행한 영수증 1부

■ 의료급여법 시행규칙 [별지 제14호의2서식] 〈개정 2013.10.1〉

보장구 급여비 지급청구서

※뒤쪽의 유의사항 및 작성방법을 읽고 작성하시기 바라며, 색상이 어두운 란은 청구인이 적지 않습니다.　　　　(앞쪽)

접수번호		접수일			처리기간	10일

①급여를 받기로 결정된 사람	성명		주민등록번호		
	보장기관명 (기호)		의료급여 종별		1종　2종
	집 전화번호		휴대전화번호		

②보장구 명칭		코드		③구입일	

④제품 정보	품목관리번호(제품코드번호)	모델명
	제조연월	제품일련번호

⑤구입처	명칭		대표자	
	사업자등록번호		전화번호	
	소재지(미등록 업소만 기록)			

⑥기준액	⑦고시 금액 (전동휠체어, 전동스쿠터, 자세보조용구)	⑧실구입금액	⑨본인부담액	⑩지급금액 (청구금액)

⑪수령인	⑫금융기관명	⑬계좌번호	⑭예금주	⑮주민등록번호
[ ]수급권자				
[ ]보장구 제작·판매자				

「의료급여법」 제13조 및 같은 법 시행규칙 제25조제4항부터 제6항까지의 규정에 따라 위와 같이 보장구급여비의 지급을 청구합니다.

년　　　　월　　　　일

⑯청구인 성명　　　　(서명 또는 인) 주민등록번호

급여를 받기로 결정된 사람과의 관계　　　　(휴대)전화번호

시장·군수·구청장 귀하

정보 이용 동의서

본인은 보장기관이 위에 청구한 보장구급여비의 지급 등을 위하여 「사회복지사업법」 제6조의3에 따른 전담기구에 관련 정보[급여비 지급 여부·품목, 내구연한(耐久年限) 등]를 제공하는 것에 동의합니다.

급여를 받기로 결정된 사람　　　　(서명 또는 인)

210mm × mm[백상지 80g/㎡(재활용품)]

첨부서류	1. 「의료급여법 시행규칙」 별지 제14호의3서식의 보장구검수확인서 1부. 다만, 지팡이 · 목발 · 흰지팡이 또는 보장구의 소모품에 대한 의료급여를 받으려는 경우 또는 이미 수동휠체어에 대한 의료급여를 받은 사람이 다시 수동휠체어에 대한 의료급여를 받으려는 경우에는 보장구검수확인서를 첨부하지 아니합니다. 2. 의료급여기관 또는 보장구 제작 · 판매자가 발행한 세금계산서 1부 3. 「장애인복지법」에 따라 개설된 의지 · 보조기 제조 · 수리업자이거나 「의료기기법」에 따라 허가받은 수입 · 제조 · 판매업자 또는 「의료기기법」에 따라 신고한 수리업자(전동휠체어 · 전동스쿠터용 전지의 경우)인을 증명하는 서류 1부(보장구급여비를 지급받을 수 있는 사람이 자신이 구입한 장애인보장구의 제조 · 판매자에게 보장구급여비를 지급할 것을 신청한 경우만 해당). 다만, 「국민건강보험법 시행규칙」 별표7 제1호다목에 따라 국민건강보험공단에 등록한 보장구 업소에서 구입한 경우, 지체장애 및 뇌병변장애에 대한 보행보조를 위하여 지팡이 또는 목발을 구입하거나 시각장애에 대한 보행보조를 위하여 흰지팡이를 구입한 경우 및 해당 보장구를 제작한 업소에서 전동휠체어 · 전동스쿠터용 전지를 구입한 경우에는 첨부하지 아니합니다.	수수료 없음

유의사항

※ 보청기, 전동휠체어, 전동스쿠터 및 자세보조용구의 경우는 공단에 등록된 품목에 대해서만 의료급여를 실시하며, 의지, 보조기, 맞춤형 교정용 신발, 보청기, 전동휠체어, 전동스쿠터 및 자세보조용구의 경우는 공단에 등록된 업소에서 구입했을 때에만 의료급여를 실시하므로 보장구 구입 전 공단 등록 여부를 반드시 확인하시기 바랍니다.

작성방법

① 급여를 받기로 결정된 사람의 성명, 주민등록번호, 전화번호 및 보장기관 명칭(기호)과 의료급여 종별(해당 종별에 "○"표)을 적습니다.
② 구입한 보장구 명칭을 적습니다.
③ 보장구를 구입한 연월일을 적습니다.
④ 구입한 보장구의 품목관리번호, 모델명, 제조연월일 및 제품일련번호를 적습니다.
　※ 전동휠체어, 전동스쿠터, 보청기, 수동휠체어를 구입한 경우에만 적으며, 전동 휠체어, 전동스쿠터의 경우는 제품별 고시목록의 제품코드번호를 기록합니다. (수동휠체어는 품목관리번호 항목을 적지 않습니다.)
⑤ 보장구를 구입한 판매업소의 명칭, 대표자, 소재지, 전화번호, 사업자등록번호를 적습니다.
　※ 보장구 등록업소인 경우에는 소재지를 적지 않아도 됩니다.
⑥ 「국민건강보험법 시행규칙」 별표7 제2호의 보장구 유형 및 구분항목별 기준액을 "원"단위로 적습니다.
　〈예시〉 자세보조용구 몸통 및 골반지지대/머리 및 목지지대를 동시 장착한 경우 880,000원/210,000원을 각각 기재합니다.
⑦ 보건복지부장관이 별도로 고시한 고시금액을 적습니다. (전동휠체어 및 전동스쿠터, 자세보조용구가 해당되며, 고시 시행일 이후부터 적용됩니다)
⑧ 구입한 보장구의 실제 구입가격(세금계산서의 금액)을 적으며, 자세보조용구의 경우 유형 및 구분항목별로 실제 구입한 금액을 "원" 단위로 적습니다.
⑨ 구입한 보장구 중 본인이 직접 납부한 본인부담총액을 적습니다. 이 경우 자세보조용구는 처방받아 구입한 구분 항목별로 실제구입가격을 "원" 단위로 적습니다.
⑩ 의료급여 지급금액을 적습니다.
　※ 1종 수급자는 ⑥, ⑦, ⑧ 중 최저금액에 해당하는 금액을, 2종 수급자는 ⑥, ⑦, ⑧ 중 최저금액의 85%에 해당하는 금액을 적습니다.
⑪ 보장구급여비를 받을 사람을 선택하여 "✔" 표시를 합니다.
⑫ ~ ⑮ : ⑪의 선택에 따라 보장구급여비를 받을 사람의 인적사항을 정확히 적습니다.
　※ 예금주는 다음에 해당하는 사람이어야 합니다.
　－급여를 받기로 결정된 자
　－급여를 받기로 결정된 자의 세대주 또는 같은 의료급여증에 등재된 가족(배우자, 부모, 자녀, 형제자매 등)
　－급여를 받기로 결정된 자가 보장구를 구입한 보장구 제작 · 판매업소
　※ 예금통장은 온라인 계좌입금이 가능한 예금통장이어야 합니다.
　〈예시 : 보통예금, 저축예금, 자유저축예금, 당좌예금, 기업자유예금 등〉
⑯ 급여를 받기로 결정된 사람의 세대주 또는 같은 의료급여증에 등재된 가족(배우자, 부모, 자녀, 형제자매 등)을 적습니다.

처리 절차

청구서 제출	→	접수	→	검토 및 지급결정	→	통보 및 지급	→	수령
청구인		시 · 군 · 구		시 · 군 · 구		시 · 군 · 구		청구인

그림 12-1. **보장구 급여비 지급신청서(지급청구서)**

■ 의료급여법 시행규칙 [별지 제14호서식] 〈개정 2013.10.1〉

보장구 처방전

※ 뒤쪽의 유의사항을 읽고 작성하여 주시기 바라며, 색상이 어두운 란은 작성하지 마세요.

□ 장애인 등록 전

①수진자	성명		주민등록번호		
	보장기관명 (기호)		의료급여 종별	[ ] 1종, [ ] 2종	
	집 전화번호		휴대전화번호		

②장애 구분	장애명(주장애)		장애상태	척수손상	[ ]완전 [ ]불완전	장애등급 급
	중복장애명(부장애)		장애상태	척수손상	[ ]완전 [ ]불완전	장애등급 급

③처방 보장구	품목		코드
	자세 보조 용구	[ ] 몸통 및 골반 지지대 [ ] 머리 및 목 지지대 [ ] 팔 지지대 및 랩트레이 [ ] 다리 및 발 지지대	코드

④환자상태 및 진료소견(처방의견을 포함하여 구체적으로 적습니다)

⑤ 검사 결과	전동 휠체어 또는 전동 스쿠터	팔기능		근력검사	( )등급	인지기능		간이 정신진단검사 (MMSE)	( )점	
		일상생활 동작검사 (바델지수, MBI 이용)		[ ]적합	[ ]부적합	조작능력 평가		[ ]적합	[ ]부적합	
		심장기능		운동부하검사	( )METs					
		심폐기능		BODE Index	( )점					
		형태 분류		[ ]전동휠체어 [ ]등급 B (실내외 겸용) [ ]등급 C (실외용)						
				[ ]전동스쿠터 [ ]등급 C (실외용)						
	□18세 미만	하지기능 근력검사	좌( )등급 . 우( )등급							
		GMFCS								
	자세 보조 용구	영상의학 검사	Cobb's	(도)						
			척추 전만	(도)						
			척추 후만	(도)						
			Hip migration index	(%)						

위와 같이 보장구를 처방합니다.

년   월   일

의료급여기관 명칭(기호)

담당의사 성명   (서명 또는 인)

면허번호

전문과목   전문의 자격번호

210mm × mm[백상지 80g/㎡(재활용품)]

유의사항

1. 처방전 발급비용은 진료비에 포함되어 있으므로 따로 부담하지 않습니다.
2. 보장구를 의료급여 받으려는 경우에는 반드시 보장구 구입 전에 처방전을 시장·군수·구청장에게 제출하여 보장구 지급 적격여부를 확인받아야 하며, 특히 전동휠체어, 전동스쿠터, 자세보조용구의 경우에는 「의료급여법 시행규칙」 제25조제2항에 따라 해당 검사 결과 관련 서류를 첨부하여야 합니다.
    ※ 지팡이, 목발, 시각장애인용 흰지팡이 또는 보장구의 소모품에 대한 의료급여를 받으려는 경우나 이미 수동휠체어에 대한 의료급여를 받은 사람이 다시 수동휠체어에 대한 의료급여를 받으려는 경우는 해당되지 않습니다.
3. 전동휠체어 중 형태분류 등급 A의 경우에는 수동·전동 겸용에 한하여 처방 및 검수가 가능합니다.
4. 처방전에 의해 구입한 보장구는 반드시 위 전문과목의 전문의로부터 보장구 검수확인서를 받아야 합니다.
5. 장애인 등록 전 급여대상 보장구를 처방하려고 할 때에는 「장애인복지법」에 따른 해당 장애에 대한 장애등급을 받을 것으로 예상되는 경우에만 처방전을 발급하여야 하며, 발급 시 '장애인 등록 전'에 체크(✔)하여 주십시오.
    ※ 전동휠체어, 전동스쿠터, 자세보조용구에 대한 의료급여 받으려는 경우에는 해당되지 않습니다.
    ※ 보장구 구입 전에 반드시 보장구 지급 적격여부를 시장·군수·구청장으로부터 확인받으셔야 하며, 보장구 구입 후 6개월 이내에 「장애인복지법」에 따른 해당 장애인으로 등록한 경우에만 보장구급여비 지급을 청구할 수 있습니다.

작성방법

① 수진자 : 실제 급여를 받는 장애인에 대한 인적사항을 적습니다.
② 장애구분 : 보장구별 의료급여 대상에 해당하는 장애유형, 장애상태 및 등급을 적으며, 장애상태란에는 구체적인 장애부위(다리절단, 다리관절 등)를 적고, 척수손상의 경우 해당란에 "✔" 표시해 주십시오.
    ※ 중복장애가 있는 경우에는 추가로 적습니다.
③ 처방보장구 : 「국민건강보험법 시행규칙」 별표 7 제2호의 장애인보장구의 유형별 명칭을 품목란에 적으며, 자세보조용구의 경우 필요한 품목별로 해당하는 구분항목에 "✔" 표시를 합니다.
④ 환자상태 및 진료소견 : 보장구 처방을 위한 장애상태 및 진료소견에 대해 상세하게 적으며, 보장구 제작 시 주의할 사항 또는 처방품목 상세내역 등에 대한 처방의견을 적습니다.
⑤ 검사결과 : 해당 항목별 검사에 대한 결과를 적고, 해당 검사 결과 관련 서류를 반드시 첨부하여야 합니다.

그림 12-2. **보장구 처방전**

■ 국민건강보험법 시행규칙 [별지 제23호서식] 〈개정 2013.9.30〉

보장구 검수확인서

※ 유의사항을 참고하시기 바라며, 바탕색이 어두운 난은 적지 않습니다. (앞쪽)

□ 장애인 등록 전

수진자 (진료받은 사람)	건강보험증 번호			
	성명		주민등록번호	
	집전화번호		휴대전화번호	

장애 구분	장애명			장애등급
	척수손상	[ ]완전	[ ]불완전	급
	중복장애명			장애등급
	척수손상	[ ]완전	[ ]불완전	급

보장구	품목	코드	
	구입일	구입처	
	구입가격	기타	
	[ ]의지·보조기 기사	자격(면허)번호	성명
	[ ]작업치료사		
	[ ]자세보조용구 제작업소 대표자	업소관리번호	
			(서명 또는 인)

검수확인	(보장구의 적합성 여부 등 검수한 내용을 구체적으로 기록)

위와 같이 보장구 검수를 확인합니다.

년   월   일

요양기관 명칭(요양기관 기호)

담당의사 성명   (서명 또는 인)

면허번호

전문과목   전문의 자격번호

유의사항

1. 검수확인서 발급비용은 진료비에 포함되어 있으므로 따로 부담하지 않습니다.
2. 장애인 등록 전에 구입한 보장구(자세보조용구 제외) 검수 시 '장애인 등록 전'에 체크(✔)해 주시기 바랍니다.
   ※ 장애인 등록 전에 구입한 보장구(장애인 등록 이전 6개월 이내에 구입한 보장구만 해당합니다)는 「장애인복지법」에 따른 해당 장애인으로 등록한 후에만 보장구급여비 지급을 청구할 수 있습니다.
3. 의지·보조기 및 맞춤형 교정용 신발의 경우 담당 의사의 최종 검수확인 전에 반드시 해당 의지·보조기 및 맞춤형 교정용 신발을 제조·수리한 의지·보조기 기사의 검수 확인을 받아야 합니다. 다만, 팔 보조기는 의사의 지도하에 작업치료사가 제조한 경우에 담당 의사의 최종 검수 확인 전에 작업치료사의 검수 확인을 받으면 됩니다.
   ※ 의지·보조기 기사(작업치료사를 포함한다)는 본인의 성명과 자격(면허)번호를 적은 후 서명을 하거나 도장을 찍어 주십시오.
4. 자세보조용구의 경우 담당 의사의 최종 검수확인 전에 반드시 해당 보장구를 제조한 사람의 검수확인을 받아야 합니다. 이 경우 검수확인은 제조한 사람이 소속된 보장구 업소의 대표자가 하며 업소 대표자는 본인의 성명을 적은 후 서명을 하거나 도장을 찍습니다.

작성방법

자세보조용구의 경우 뒤쪽의 자세보조용구 검수확인 참고표를 참조하여 검수 확인한 후 해당 내용을 구체적으로 작성합니다.

210mm×297mm[백상지 80g/㎡]

자세보조용구 검수확인 참고표

1. 자세보조용구가 처방대로 잘 맞는지에 관하여 다음의 항목을 확인합니다.
   가. 처방된 몸통 및 골반 지지대, 머리 및 목 지지대, 팔 지지대 및 랩트레이, 다리 및 발 지지대 품목들이 제대로 지급되었는지
   나. 쿠션에 몸통 및 골반 부위의 체표 면이 뜨는 부분 없이 잘 적용되는지
   다. 머리받침, 팔받침, 발/하퇴받침 등의 장치가 대칭을 유지하며 안정적으로 놓이는지
   라. 지지장치(벨트)가 몸통이나 골반, 발 등을 정확한 위치에서 잘 지지하고 있는지
   마. 테이블의 높이가 적절한지, 다칠 위험성이 없는지, 표면 재질이나 사이즈가 적절한지
   바. 패드가 적절한 위치에서 기능을 수행하고 있는지(특히 대퇴내전방지패드의 크기와 기능)

2. 앉혔을 때 편안한지에 대하여 다음의 항목을 확인합니다.
   가. 앉혀 놓았을 때 더 보채지 않는지
   나. 근 긴장도가 증가되지 않는지
   다. 비대칭이 증가되지 않는지
   라. 호흡에 미치는 영향이 없는지
   마. 머리와 몸통 조절이 용이해져 싱지 움직임이 더 활발하게 나타나는지

3. 척추와 골반의 비대칭이나 변형 감소에 도움이 되는지에 대하여 다음의 항목을 확인합니다.
   가. 견갑부 및 상지: 어깨가 너무 앞으로 기울거나 뒤로 쳐졌는지, 어깨 비대칭이나 탈구 상지 움직임이 어떠한지
   나. 척추: 측만변형과 전후만변형의 정도와 부위가 어떠한지, 자세보조용구에 의한 척추 및 등·허리부위의 지지가 적절한지
   다. 골반: 전후 및 좌우 틸트, 좌우회전, 골반 변위, 대퇴 내외전 경직 정도는 어떠한지

4. 머리가 똑바로 잘 놓여있는지에 대하여 다음의 항목을 확인합니다.
   가. 머리받침이 머리를 편안하게 잘 받쳐주는지
   나. 머리의 굴곡-신전, 좌우측 굴곡, 좌우회전을 충분히 조절하고 있는지

5. 상지, 하지 및 몸통의 근 긴장도 조절에 도움이 되는지에 대하여 다음의 항목을 확인합니다.
   가. 앉혔을 때 근 긴장도의 증가하지 않는지
   나. 근 긴장도의 비대칭적인 증가를 보이지 않는지
   다. 두경부 및 몸통이 활궁자세를 보이거나 엉덩이가 착석쿠션으로부터 뜨지 않는지

6. 대퇴 내전 또는 외전의 조절이 가능한지에 대하여 다음의 항목을 확인합니다.
   가. 대퇴의 과내전 또는 가위자세를 적절히 막아주고 있는지
   나. 대퇴의 과외전으로 의자 밖으로 다리가 빠져나가지 않는지

7. 고관절, 슬관절, 족관절의 강직 또는 변형의 조절이 가능한지에 대하여 다음의 항목을 확인합니다.
   가. 발받침에 발이 잘 놓여있는지
   나. 무릎의 자세는 안정되어 있는지
   다. 발목의 첨족 변형 및 내외반 변형은 어떠한지
   라. 하지의 움직임은 어떠한지

그림 12-3. **검수확인서**

(2) 시각장애인용 보장구 요양비 지급절차

| ① 시각장애인보장구 처방전 발행(의료기관) | ○안과 전문의가 발급한 처방만을 인정 |

↓

| ② 신청(주민센터 또는 국민건강보험공단) | ○수급권자 본인, 그 가족 및 법정대리인(수급자격 결정신청, 보장구 처방전 제출)
※ 제작·판매업자 대행 불가 |

↓

| ③ 보장기관의 수급자격 여부 판단(주민센터 또는 국민건강보험공단) | ○시·군·구에서 수급 적격여부 판단기준에 의한 적격·부적격여부를 민원기한 내에 신청자에게 서면 통보
※ 보장기관은 장애인보장구 급여 신청서를 반드시 민원검수 등록하여 민원기한 내에 처리할 것
※ 수급 적격여부 판단을 위해 필요시 읍·면·동에 의뢰하여 실태조사 등을 실시할 수 있음 |

↓

| ④ 보장구 구입 (보장구판매업체) | ○보장구제작·판매업자에서 보장구 구입
※ 보장구처방전 및 적격통지공문을 업체에 제출 |

↓

| ⑤ 보장구 검수 (의료기관) | ○장애인 보장구 처방전을 발급할 수 있는 의사에 한하며, 검수확인서 발급
※ 제작·판매업자 대행 불가 |

↓

| ⑥ 구입비용지급청구(주민센터 또는 국민건강보험공단) | ○수급권자 본인, 그 가족 및 법정대리인이 시장·군수·구청장에게 보장구 급여비에 대한 지급청구 |

↓

| ⑦ 구입비용지급 (주민센터 또는 국민건강보험공단) | ○보장구 급여비의 지급청구를 받은 시장·군수·구청장은 그 지급여부를 결정하여 지체없이 지급
○수급권자 본인 및 그 가족, 법정대리인에게 지급하되, 수급권자가 제작·판매업자에게 지급을 요청 시 제작·판매업자에게 지급 가능

※「장애인복지법」에 따라 개설된 의지·보조기 제작·수리업자이거나「의료기기법」에 따라 허가받은 수입·제조·판매업자임을 증명하는 서류 제출 |

↓

| ⑧ 사후점검 | ○급여지급 후 3개월 경과 시점 |

건강보험환자는 국민건강보험공단에 서류를 제출하고 의료보호환자는 거주지의 주민센터에 제출한다. 현재는 환자의 편의를 돕고자 ②, ③ 단계를 생략하고 보장구처방전과 검수확인서를 바로 국민건강보험공단이나 동사무소에 제출하고 있다.

3) 보장구 건강보험 급여(의료급여)실시

(1) 의료보험 대상자: 적용품목의 기준액 범위 내에서 구입비의 80% 지원
예; 기준액이 10만원인 품목의 경우
- 보장구가격이 10만원 인 경우 : 80%인 80,000원을 지원하고 20,000원은 본인부담
- 보장구가격이 12만원 인 경우 : 80%인 96,000원을 지원하고 24,000원은 본인부담
- 보장구가격이 6만원 인 경우 : 80%인 48,000원을 지원하고 12,000원은 본인부담

(2) 의료보호 대상자: 적용대상 품목의 기준액 범위 내에서 전액(1종) 또는 85%(2종)

(3) 안경은 저시력 보조안경으로 명확히 기입한다.

(4) 보장구 처방일과 검수확인 일자를 반드시 기입한다.

4) 국내 점자정보단말기 지원사업

(1) 정보통신보조기기 보급사업

① 해당부서 : 한국정보화진흥원(http://www.at4u.or.kr/)

② 보급절차

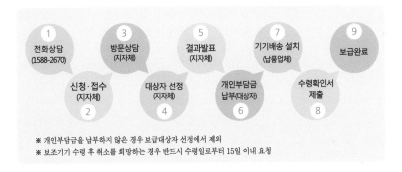

① 전화상담 (1588-2670) ② 신청·접수 (지자체) ③ 방문상담 (지자체) ④ 대상자 선정 (지자체) ⑤ 결과발표 (지자체) ⑥ 개인부담금 납부(대상자) ⑦ 기기배송 설치 (납품업체) ⑧ 수령확인서 제출 ⑨ 보급완료

※ 개인부담금을 납부하지 않은 경우 보급대상자 선정에서 제외
※ 보조기기 수령 후 취소를 희망하는 경우 반드시 수령일로부터 15일 이내 요청

1) 신청서 작성 및 접수

- 신청서 등 구비서류를 우편, 방문, 홈페이지(www.at4u.or.kr)를 통해 거주지(주민등록지 기준) 관할 접수처에 제출하시기 바랍니다.

- 신청서 및 활용계획서 작성시 "정보통신보조기기 자가진단표"를 반드시 확인하시기 바랍니다.
  - 자가진단 결과 "부적합"인 경우 보급대상이 되지 않으며, 신청서 및 활용계획서에 자가진단 결과를 기재하지 않은 경우에도 보급대상에서 제외될 수 있습니다.

2) 보급 대상자 선정심사

- 보급대상자는 관할 지자체에서 신청서, 활용계획서, 심층상담기록지(해당하는 경우), 평가기준 등을 종합적으로 고려하여 선정합니다.

- 보급대상자 선정기준은 장애수준, 경제적 여건, 활용도 등을 종합적으로 고려하고 세부적인 선정방법 및 기준은 보급사업 공지시 안내해 드리고 있습니다.

3) 보급 대상자 선정 및 발표

- 보급대상자 선정결과는 주소지 관할 17개 광역시·도에서 홈페이지 공지 또는 개별 통보를 통해 알려드립니다.
  - ※ 홈페이지를 통해 결과 확인이 어렵거나 보급 관련 상담이 필요한 경우에는 상담전화 또는 해당업체에 문의

4) 개인 부담금 납부

- 보급대상자로 선정되신 분은 발표일로부터 30일 이내에 지정된 계좌로 개인부담금(보조기기 가격의 10~20%)을 납부하여야 합니다. 해당기간 이내에 개인부담금을 납부하지 않을 경우 보급 의사가 없는 것으로 간주하여 보급대상에서 제외됩니다.
  - ※ 개인부담금은 반드시 신청자 명의로 정확한 금액을 입금하여야 합니다.
  - ※ 개인부담금 납부 계좌 및 연락처는 추후 공지사항 및 안내문 발송을 통해 안내해 드립니다.

5) 배송 및 설치

- 제품의 배송 및 설치는 개인부담금 납부 이 후 실시됩니다. 제품을 수령한 경우 제품사양, 구성품목, 작동상태 등을 확인 후 수령확인증 및 이용약관을 반드시 제출해야 합니다.

6) 사후관리

- 제품 보급 후 수령확인을 위한 검사, 이용여부 및 관리상태 확인을 위한 실태조사 등 관계기관의 협조 요청에 성실히 응해 주셔야 합니다.

*한국정보화진흥원 홈페이지 참조

(2) 한국장애인고용공단 보조공학기기지원

장애인 보조공학기기 지원은 장애인의 고용촉진과 직업생활 안정을 도모하기 위하여 직업생활에 필요한 각종 보조공학기기를 무상으로 임대 또는 지원하는 제도이다.

① 보급절차

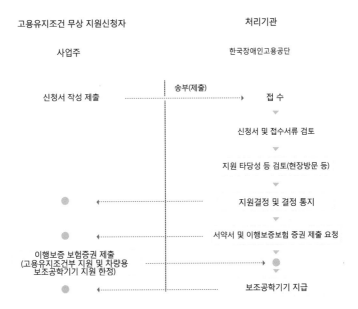

표 12-3. **국내 저시력보조기기 지원 사업현황**

구분	한국정보화진흥원	한국장애인고용공단	국가보훈처 (서울보훈병원)
사업	정보통신보조기기 지원	보조공학기기지원	국가유공자 지원사업
목적	정보격차 해소	장애인 고용촉진 고용안정 도모	국가유공자의 재활 치료
근거 법령	정보격차해소에 관한 법률 제9조 동법시행령 제12조	장애인고용촉진 및 직업재활법 제21조	국가유공자예우 및 지원에 관한 법률 제43조의2
대상	- 등록장애인 - 상이등급판정자 - 4~7월 신청, 8월 선정 보급 - 일반 20%, 수급자 10% 부담 - 선정방법 1. 대민접촉 실사 점자평가 2. 광역시별 평가위원회 선정 (경제력, 장애정도, 사회활동참여도, 적정성, 활용성)	장애인을 고용한 사업주 - 무상임대 단, 100만원 이상은 사업주가 이행보증증권 가입 - 5년의 내구연한으로 이후에는 대상자 등에게 기증 등 처리	상이로 인해 보철구가 필요한 사람(전상군경, 공상군경, 4·19혁명 부상자, 공상공무원 및 특별공로상이자 등) - 내구연한 5년으로 무상지급
지원방식	개인부담금 10~20%	무상임대	무상지원
지원품목	한소네U2 등 5품목	한소네U2 등 8품목	2품목 (한소네U2, 한소네U2쿼티)

2. 저시력인의 스포츠활동

저시력인을 포함하여 시각장애인의 자아성취 향상을 위해 스포츠활동을 권유 하는 것도 좋은 방법이다. 시각장애인들이 즐길 수 있는 스포츠는 생각보다 다양하며 장애인올림픽에도 다양한 종목이 있다. 수영, 유도, 볼링, 축구, 스키, 육상, 사이클 과 같은 일반적인 종목 뿐 아니라 시각장애인들만을 위해 만들어진 골볼(goalball), 쇼다운(showdown)과 같은 종목도 있다. 국내대회나 국제대회에 참가하기 위해서는 등급분류심사를 받는 것이 필요하며 시각장애의 정도에 따라 나눈 등급에 의거하여 각 등급별로 경기를 갖게 된다.

표 12–4. **국제시각장애인스포츠연맹의 등급 분류 기준**

등급	기준
B1	좋은 눈의 시력이 LogMAR 2.6보다 나쁜 자
B2	좋은 눈의 시력이 LogMAR 1.5에서 LogMAR 2.6 사이 인 자 또는 시야가 직경 10도보다 작게 남아 있는 자
B3	좋은 눈의 시력이 LogMAR 1.4에서 LogMAR 1.0 사이 인 자 또는 시야가 직경 40도보다 작게 남아 있는 자

3. 저시력 유관 기관

1) 저시력클리닉

시각장애인이 많음에도 불구하고 아직까지 낮은 저시력수가와 같은 제도적인 문제와 치료가 아니라 재활이라는 제한된 의료적 환경에 대한 관심의 부재 때문에 2016년 현재 저시력클리닉을 운영하고 있는 기관은 12곳에 불과하고 그 중 10곳이 수도권에 집중되어 있다.

표 12–5. **전국 저시력클리닉**

지역	병원	담당의	주소	전화번호
서울	강남성심병원	이가영	서울특별시 영등포구 신길로 1	02)829–5193
	국립재활원	홍소진	서울특별시 강북구 삼각산로 58	02)901–1700
	김안과병원	김응수	서울특별시 영등포구 영신로 136	1577–2639
	삼성의료원	오세열	서울특별시 강남구 일원로 81	02)3410–2320
	서울대병원	권지원	서울특별시 종로구 대학로 101	02)2072–2058
	서울성모병원	박신혜	서울특별시 서초구 반포대로 222	02)2258–1188
	서울아산병원	안효숙	서울특별시 송파구 올림픽로43길 88	02)3010–3661
	중앙대병원	문남주	서울특별시 동작구 흑석로 102	02)6299–1666
경기	가천대길병원	백혜정	인천광역시 남동구 남동대로 774번길 21	032)460–3360
	양주성모안과	김도현	경기도 양주시 화정로 120 해밀프라자 203호	031)861–7582
대구	영남대학교	김명미	대구광역시 남구 현충로 170	053)623–8001
광주	임선택안과	임선택	광주광역시 동구 백서로 134–1	062)236–5400

2) 한국실명예방재단(아이러브재단) 저시력 상담센터 및 어린이 시기능 훈련 교실

한국실명예방재단은 국민의 시력보호, 실명의 예방 및 치료에 기여하기 위해 1973년에 설립된 기관으로 눈건강에 대한 여러 가지 사업을 하고 있으며 특히 시각기능이 일상생활에 지장을 초래할 정도로 저하된 저시력 어린이 및 청소년들의 사회적응력 향상을 위한 문화체험 및 계절 캠프와 어르신들을 위한 저시력 예방 방문교육 및 상담, 저시력 세미나 등을 개최하고 있다. 또한 저시력상담을 통해 저시력에 대한 이해, 장애가족을 위한 상담, 저시력원인질환 상담, 시기능 파악을 위한 기초안과 검사 등을 진행하고 저시력 어린이 및 전 연령층의 저시력인들을 대상으로 1:1 훈련을 실시하고 있다

3) 시각장애복지관(2015년 11월 기준)

시각장애복지관은 시각장애인의 복지생활을 향상시키기 위해 시, 도에 설립된 기관으로 지역사회복지사업, 중도실명인 지원사업, 점자인쇄물제작 보급사업, 생활용구 제작 및 보급, 컴퓨터사용 교육 등의 다양한 사업을 하고 있다. 하지만 각 기관마다 사업규모와 운영이 달라 직접 문의하고 이용하는 것이 좋다.

표 12-6. **전국 시각장애 복지관**

주소	기관명	주소	전화번호
서울	서울노원시각장애인복지관 (http://www.nowonblind.or.kr/)	서울특별시 노원구 덕릉로70가길 96 서울시립뇌성마비복지관	02)950-0114
	서울시각장애인복지관 (http://www.bokji.or.kr/)	서울특별시 성북구 동소문로25가길 20 성북시각장애인복지관	02)422-8108
	성북시각장애인복지관 (https://blindnet.or.kr:23001/)	서울특별시 성북구 동소문로25가길 20 성북시각장애인복지관	02)923-4555
	실로암시각장애인복지관 (http://www.silwel.or.kr/)	서울특별시 관악구 남부순환로 1717 실로암시각장애인복지관	02)880-0500
	하상장애인종합복지관 (http://www.onsori.or.kr/)	서울특별시 강남구 개포로 613 하상장애인종합복지관	02)451-6080
	한국시각장애인복지관 (http://www.hsb.or.kr/)	서울특별시 강동구 구천면로 645 한국시각장애인복지관	02)440-5200
부산	부산시각장애인복지관 (www.white.or.kr)	부산광역시 북구 시랑로132번길 38 부산시각장애인복지관	051)338-0017

대구	대구시각장애인복지관 (www.dgblind.or.kr)	대구광역시 달서구 달구벌대로291길 100	053)526-9988
인천	인천시각장애인복지관 (www.ibu.or.kr)	인천광역시 서구 심곡로208번길 14	032)876-3500
경기도	경기도시각장애인복지관 (http://www.gbw.or.kr/)	경기도 의정부시 추동로 140 경기북부상공회의소	031)856-5300
충청남도	충청남도시각장애인복지관 (www.cncane.or.kr)	충청남도 천안시 동남구 충절로 535- 13	041)413-7000
경상북도	경상북도시각장애인복지관 (www.gbws.kr)	경상북도 포항시 남구 섬안로 175 경북시각장애인복지관	054)253-5900
울산	울산시각장애인복지관 (www.ubr.or.kr)	울산광역시 남구 돋질로114번길 3 시각장애인복지회관	052)256-5244
광주	광주시각장애인복지관 (www.gbwwel.or.kr)	광주광역시 남구 천변좌로382번길 6 시각장애인심부름센터	062)652-2200
제주	제주시각장애인복지관 (www.jifb.or.kr)	제주특별자치도 제주시 아봉로 433 제주시각장애인복지관	064)721-1111

4) 맹학교

맹학교는 시각장애학생을 위한 특수학교로 시각장애학생을 위한 교육환경을 만들기 위해 유치원에서부터 고등학교까지 통합교육을 실시하고 시각장애의 현실에 맞는 다양한 직업을 교육하는 기관이다.

표 12-7. **전국 맹학교**

학교명	소재	대표전화	홈페이지
서울맹학교	서울 종로구	02)737-0652	www.bl.sc.kr
한빛맹학교	서울 강북구	02)989-9135	www.hanbit.sc.kr
부산맹학교	부산 동래구	051)524-1046	www.busanmaeng.sc.kr
대구광명학교	대구 남구	053)624-5832	www.kwangmyung.sc.kr
인천혜광학교	인천 부평구	032)522-8345	ichk.icesc.kr
광주세광학교	광주 서구	062)374-6172	www.sekwang.sc.kr/
대전맹학교	대전 동구	042)285-5002	www.djschool.sc.kr/
강원명진학교	강원 춘천시	033)253-3011	www.mj.sc.kr/
청주맹학교	충북 청주시	043)224-1103	www.chsb.sc.kr/
충주성모학교	충북 충주시	043)843-1374	www.chungjusm.sc.kr/
전북맹아학교	전북 익산시	063)833-2621	www.jbb.sc.kr
영암은광학교	전남 영암군	061)462-1767	eungwang21.sc.jne.kr
제주양지학교	제주 제주시	064)755-2004	www.youngji.sc.kr

5) 기타 관련기관

단체	홈페이지주소	전화번호	비고
대한안과학회	http://www.ophthalmology.org	02)583-6520	
사단법인 저시력인 연합회	http://www.lowvision.or.kr	02)2677-4662	
한국시각장애인연합회	www.kbuwel.or.kr	02)6925-1114	
정인욱 복지재단	http://www.chungiw-hsf.or.kr	02)3210-1409	중도실명자를 위한 재단
한국시각장애인스포츠연맹	http://kbsa.kosad.kr	02)400-6334~5	
하트하트재단	www.heart-heart.org	02)430-2000	저시력 보조기구 지원사업
헨디인터내셔날	www.hendi.org	02)715-2190	저시력보조기구 판매업체

6) 기타자료

근, 원거리 시력표 및 저시력 관련기구 판매

- Precision Vision : www.precision-vision.com
- Optelec : www.shoplowvision.com
- Good-Lite company : www.good-lite.com

아래는 시각재활에 관련된 미국의 web site이다.

- 라이트하우스(Lighthouse, http://www.lighthouseguild.org/) : 시각장애인을 돕기 위한 재단
- American foundation for the blind (www.afb.org) : 미국시각장애인연맹
- Foundation fighting blindness (www.blindness.org) : 시각장애를 일으키는 질환에 대한 연구 재단
- Blind Children's Fund (www.blindchildrensfund.org) : 시각장애어린이를 위한 재단
- Braille institute (www.brailleinstitute.org) : 시각장애인들이 일상생활에서 갖는 장벽을 제거하기 위한 재단.

별첨. **장애인등급별 복지서비스**

주요내용	지원가능등급						비고	
	1급	2급	3급	4급	5급	6급		
장애수당	●	●	●	●	●	●	수급자 및 차상위계층	주민센터신청
장애아동부양수당	●	●	●	●	●	●		
장애인자녀교육비지원	●	●	●					
장애인자립자금대여	●	●	●	●	●	●	저소득층	
재활보조기구무료교부	●						수급자	
농어촌 재가 장애인 주택개조	●	●	●	●	●	●	수급자 및 차상위계층	
장애인의료비지원	●	●	●	●	●	●	의료급여2종	
LPG 사용허용	●	●	●	●	●	●	차량등록기관	
승용차특별소비세면제	●	●	●				관할 세무서 신청	
장애인용차량 면세혜택	●	●	●				시, 군, 구 신청	
소득세 인적공제	●	●	●	●	●	●	연말전산 시 공제신청	
증여세 면제	●	●	●	●	●	●		
특수교육비 소득공제	●	●	●	●	●	●		
상속세 인적공제	●	●	●	●	●	●	관할세무서 신청	
증여세 면제	●	●	●	●	●	●		
공공주택 특별분양	●	●	●	●	●	●	읍면동주민센터신청	
전기요금 할인	●	●	●			●	한국전력 신청	
전화요금 할인	●	●	●	●	●	●	관할 전화국 신청	
통신비할인(이동통신, 인터넷)	●	●	●	●	●	●	해당회사 신청	
교통비할인 (철도, 항공, 여객선, 지하철, 고속도로)	●	●	●	●	●	●	복지카드 제시	
입장료할인(국, 공립 문화시설)	●	●	●					

㉮ **지하철 요금 무료**

– 주소지 동주민센터에서 지하철 무임카드 발급

– 지하철 내 우대권발급기에서 발급

㉯ **철도요금 감면**

– 1~3급 : 50% 감면(보호자 1인 포함)

– 4~6급 : 30% 감면(KTX, 새마을호 : 법정공휴일을 제외한 주중에 한하여)

– 매표소에 복지카드 제시

ⓓ 항공요금할인
- 대한항공 1~4급, 아시아나 1~6급 국내선 요금 50% 할인
- 대한항공 5~6급 국내선 30% 할인
- 1~3급 장애인은 동행하는 보호자 1인 포함
- ☎ 대한항공 : 1588 - 2001, ☎ 아시아나항공 : 1588-8000

ⓔ 연안 여객선 운임 1~3급 50%, 4~6급 20% 할인(매표소에 복지카드 제시)

ⓕ 전화요금 감면
- 장애인 명의의 1대 시내통화료의 50% 할인
- 시외통화는 월 3만원의 한도 내 50% 할인, 114 안내요금 면제
- 이동전화에 건 요금은 월 1만원 한도 내 30% 할인
- 관할 전신전화국에 신청

ⓖ 이동통신요금 할인
- 신규 가입비 면제, 기본요금 및 국내통화료 35% 할인
- 해당 통신회사(SKT, KT, LGT)에 신청하거나 주소지 동주민센터에서 신청 가능

ⓗ 고속도로통행료 50% 할인
- 배기량 2000cc 이하 승용차, 7~10인승 이하 승용차, 12인승 이하 승합차, 1톤 이하 화물차
- 요금정산소에서 통행권과 고속도로 할인카드 제시
- 동주민센터에서 고속도로 할인카드 발급신청 제시
- 경차와 영업용 차량(노란번호판)은 할인에서 제외

ⓘ 공공시설 이용 요금 감면
- 고궁, 능원, 국 · 공립 박물관 및 미술관 국 · 공립 공원 무료 입장
- 국 · 공립 공연장, 공공 체육시설 50% 할인(대관 공연 제외)
- 매표소에 복지카드 제시

ⓙ 장애인 자동차 표지 발급
- 10부제 적용 제외, 지방 자치단체별 조례에 의거 공영주차장 주차요금 감면

– 장애인전용 주차구역 이용(일부에 한함)
– 장애인의 보행상 장애 여부에 따라 장애인전용주차 구역을 이용할 수 있는 표지가 발급되며, 장애인이 탑승한 경우에만 효력 인정
– 주소지 동주민센터에서 신청 가능(자동차등록증, 운전자 운전면허증 지참)
– 대리신청 시 장애인과 같은 세대원인 사람만 신청 가능

㉚ 초고속 인터넷 요금 할인
– 기본정보 이용료 30~40% 할인 : PC통신 회사별 할인율 상이함
– 해당 통신사에 신청

㉗ 자동차검사 수수료 할인
– 중증후유장애인(장애급수 1급~3급) : 50%
– 경증후유장애인(장애급수 4급~6급) : 30%
– 교통안전공단 및 출장검사소에서 신청

㉤ 기타
– 소득세 인적 공제 : 장애인 1인당 연 100만원 추가 공제(연말정산 또는 종합소득 신고서)
– 장애인 의료비 공제 : 당해연도 의료비 전액(연말정산 또는 종합소득 신고서)
– 장애인 특수교육비 소득공제 : 교육비 전액(연말정산 또는 종합소득 신고서)

참고문헌

01. 보건복지부고시 제2015-188호, 2015.11.4.

02. 의료급여법 제13조 제3항, 「의료급여법 시행규칙」 제25조 제1항 및 별표 2 제2호

03. http://www.ibsasport.org/classification/

한국어

기호